金匮要略镜鉴

邹　勇　著

科学技术文献出版社
SCIENTIFIC AND TECHNICAL DOCUMENTATION PRESS
·北京·

图书在版编目（CIP）数据

金匮要略镜鉴 / 邹勇著. —北京：科学技术文献出版社，2020. 12
ISBN 978-7-5189-7594-5

Ⅰ. ①金… Ⅱ. ①邹… Ⅲ. ①《金匮要略方论》—研究 Ⅳ. ① R222.39

中国版本图书馆 CIP 数据核字（2020）第 266126 号

金匮要略镜鉴

策划编辑：薛士滨　责任编辑：吕海茹　张雪峰　责任校对：张吲哚　责任出版：张志平

出 版 者　科学技术文献出版社
地　　址　北京市复兴路15号　邮编 100038
编 务 部　(010) 58882938，58882087（传真）
发 行 部　(010) 58882868，58882870（传真）
邮 购 部　(010) 58882873
官方网址　www.stdp.com.cn
发 行 者　科学技术文献出版社发行　全国各地新华书店经销
印 刷 者　北京虎彩文化传播有限公司
版　　次　2020 年 12 月第 1 版　2020 年 12 月第 1 次印刷
开　　本　710×1000　1/16
字　　数　130千
印　　张　8.5
书　　号　ISBN 978-7-5189-7594-5
定　　价　36.00元

前　言

世人皆以《伤寒论》《金匮要略》为仲景原本，作者考证认为桂林古本《伤寒杂病论》为仲景唯一真传原本。虽然王叔和传承仲景学术居功至伟，但瑕疵很多，误导后世千百年。因此，笔者对《伤寒论》《金匮要略》二书与桂林古本《伤寒杂病论》作鉴别，以便让读者了解《伤寒杂病论》之本原。

《伤寒论》《金匮要略》，王叔和交代得很清楚，是为“撰次《伤寒杂病论》”，说明两书为王叔和重新整理编撰而成。撰次《伤寒杂病论》，转抄仲景《伤寒杂病论》的内容，使仲景学术得以流传，王叔和功不可没。但王叔和撰次本错误太多，遗漏很多，改编不少，有些地方添加了王叔和自己的评价和认识，文序编排与原文有许多不同，也有许多地方对后世形成了误导，但条文基本上忠实地转录了仲景的认识，否则也不会对后世产生巨大的影响力。

王叔和撰次《伤寒杂病论》之后，后世医家皆以《伤寒论》《金匮要略》为仲景传世原本，很多是以讹传讹，以讹校讹，各抒己见，但仍然传承了残本的《伤寒杂病论》，推动了中医学的不断发展。

桂林古本《伤寒杂病论》在近代方得以见世，当代学界以其为伪书，大多学者仍以《伤寒论》《金匮要略》为仲景原本，不认为桂林古本《伤寒杂病论》才是仲景唯一真传原本，只在民间备受推崇，无人以其与《伤寒论》《金匮要略》逐一做认真比较。

作者于2018年完成了《桂林古本伤寒杂病论解读》，并交人民卫生出版社待出版。在解读过程中，真正领略了仲景《伤寒杂病论》的学术体系，发现桂林古本更有逻辑性，具有理论系统完整和前后内容融会贯通等特点。桂林古本《伤寒杂病论》十六卷，严谨地表现了其系统性、连续性和无重复性。并如序所言，仲景应用了《内经》《难经》《神农本草经》《阴阳大论》《平脉辨证》理论以完成全书的写作，而且基本没有错误，桂林古本才是仲景《伤寒杂病论》唯一真传原本。

因此，笔者再作《伤寒论镜鉴》《金匮要略镜鉴》，以桂林古本《伤寒杂病论》为原本与王叔和撰次本《伤寒论》《金匮要略》逐条一一对照，帮助读者对原本与王叔和撰次本有明晰的认识。

本书以王叔和撰次《金匮要略》与桂林古本《伤寒杂病论》逐条逐字比较，参考《脉经》，客观评价王叔和的撰次和发挥，还原仲景《伤寒杂病论》十六卷的本原，以守正求源，指导临床应用。

桂林古本《伤寒杂病论》以广西人民出版社1980年7月第1版为底本（简称80本），原手抄本为直排，80本改为横排，药方后的“右×味”，应为“上×味”，出版社为尊重原手抄本而未改。手抄本中的繁体字、异体字，出版社改用简化字，如“内诸药”改为“纳诸药”、“慄”改为“栗”、“疿瘮”改为“痱疹”、“濇桃”改为“涩”等；个别已通用又无简化字的如“鞕”“疠”“裩”等字未改；药方中泻心汤类中的“泄”字改为“泻”、“黄蘗”改为“黄柏”、“桃核”改为“桃仁”，加注部分的“劈”字等未改。书中一些重复的药方按手抄本未删。书中“讝语”作者改为谵语。“芎䓖”改为“川芎”。

前　言

《金匮要略》以何任、何若苹整理（邓珍本仿宋刻本），人民卫生出版社，2005年8月第1版，2014年3月第1版第16次印刷本为底本。

《脉经》以中国医药科技出版社，2011年1月第1版，2013年7月第1版第2次印刷本为底本。

以上诸书或经后世转抄，或经系统整理校正，所有文字作者不作改动，均在现有版本的基础上进行对照。

《金匮要略镜鉴》书中目录仍以底本《金匮要略》的原目录为准，不作改动。杂疗方第二十三、禽兽鱼虫禁忌并治第二十四、果实菜谷禁忌并治第二十五三篇考虑非仲景原文，故不作鉴别。

由于作者水平有限，书中错误难免，敬请读者斧正。

邹　勇

于烟台毓璜顶医院

金匮要略方论序

张仲景为《伤寒杂病论》，合十六卷，今世但传《伤寒论》十卷，杂病未见其书，或于诸家方中载其一二矣。翰林学士王洙在馆阁日，于蠹简中得仲景《金匮玉函要略方》三卷，上则辨伤寒，中则论杂病，下则载其方，并疗妇人。乃录而传之士流，才数家耳。尝以对方证对者，施之于人，其效若神。然而或有证而无方，或有方而无证，救疾治病，其有未备。国家诏儒臣校正医书，臣奇先校定《伤寒论》，次校定《金匮玉函经》。今又校成此书，仍以逐方次于证候之下，使仓卒之际，便于检用也。又采散在诸家之方，附于逐篇之末，以广其法。以其伤寒文多节略，故所自杂病以下，终于饮食禁忌，凡二十五篇，除重复，合二百六十二方，勒成上中下三卷，依旧名曰《金匮方论》。臣奇尝读《魏志·华佗传》云："出书一卷，曰，此书可以活人。"每观华佗凡所疗病，多尚奇怪，不合圣人之经。臣奇谓活人者必仲景之书也。

大哉炎农圣法，属我盛旦，恭惟主上，丕承大统，抚育元元，颁行方书，拯济疾苦，使和气盈溢而万物莫不尽和矣。

太子右赞善大夫臣高保衡

尚书都官员外郎臣孙奇

尚书封郎中充秘阁校理臣林亿等

传上

目　录

金匮要略方论卷上

脏腑经络先后病脉证第一

论十三首　脉证二条

问曰：上工治未病，何也？师曰：夫治未病者，见肝之病，知肝传脾，当先实脾。四季脾旺不受邪，即勿补之。中工不晓相传，见肝之病，不解实脾，惟治肝也。

夫肝之病，补用酸，助用焦苦，益用甘味之药调之。酸入肝，焦苦入心，甘入脾，脾能伤肾，肾气微弱，则水不行，水不行，则心火气盛，则伤肺；肺被伤，则金气不行；金气不行，则肝气盛，则肝自愈。此治肝补脾之要妙也。肝虚则用此法，实则不在用之。

经曰："虚虚实实，补不足，损有余"，是其义也。余脏准此。

邹鉴：见桂林古本《伤寒杂病论·杂病例第五》。"则伤肺"原文"心火气盛则伤肺"。"则肝自愈"原文为"肝必自愈"。"实则不在用之"原文为"实则不可用之"。"虚虚实实"原文为"勿虚虚，勿实实"。"勿"不应该被省略，不能使虚证更虚，不能使实证更实，桂林古本《伤寒杂病论》原文更好。

夫人禀五常，因风气而生长，风气虽能生万物，亦能害万物，如水能浮舟，亦能覆舟。若五脏元真通畅，人即安和，客气邪风，中人多死。千般疢难，不越三条：一者，经络受邪，入脏腑，为内所因也；二者，四肢九窍，血脉相传，壅塞不通，为外皮肤所中也；三者，房室、金刃、虫兽所伤，以此详之，病由都尽。

若人能养慎，不令邪风干忤经络，适中经络，未流传脏腑，即医治之；四肢才觉重滞，即导引、吐纳、针灸、膏摩，勿令九窍闭塞；更能无犯王法，禽兽灾伤；房室勿令竭乏，服食节其冷热苦酸辛甘，不遗形体有衰，病则无由入其腠理。腠者，是三焦通会元真之处，为血气所注；理者，是皮肤脏腑之纹理也。

邹鉴：见桂林古本《伤寒杂病论·杂病例第五》。“入脏腑”原文为“入于脏腑”。“病由都尽”原文为“病由多尽”，“都”与“多”一字之差，原文更严谨。

问曰：病人有气色见于面部，愿闻其说？师曰：鼻头色青，腹中痛，苦冷者死（一云腹中冷，苦痛者死）。鼻头色微黑者，有水气；色黄者，胸上有寒；色白者，亡血也。设微赤，非时者，死；其目正圆者痉，不治。又色青为痛，色黑为劳，色赤为风，色黄者便难，色鲜明者，有留饮。

邹鉴：见桂林古本《伤寒杂病论·杂病例第五》。

师曰：病人语声寂然，喜惊呼者，骨节间病；语声喑喑然不彻者，心膈间病；语声啾啾然细而长者，头中病（一作痛）。

邹鉴：见于桂林古本《伤寒杂病论·杂病例第五》。“病人语声寂然，喜惊呼者”原文为“语声寂寂然喜惊呼者”，没有“病人”二字，“寂然”以“寂寂然”为好，与下文语法一致。

师曰：息摇肩者，心中坚；息引胸中上气者，咳；息张口短气者，肺痿唾沫。

师曰：吸而微数，其病在中焦，实也，当下之即愈，虚者不治。在上焦者，其吸促；在下焦者，其吸远，此皆难治。呼吸动摇振振者，不治。

邹鉴：见桂林古本《伤寒杂病论·杂病例第五》。“吸而微数”原文为“吸而微数者”；“当下之即愈”原文为“下之则愈”；“不治”原文为“不可治也”。

师曰：寸口脉动者，因其王时而动，假令肝王色青，四时各随其色。肝色青而反色白，非其时色脉，皆当病。

邹鉴：见桂林古本《伤寒杂病论·杂病例第五》。“肝色青而反色白，非其时色脉，皆当病”原文为“肝色青而反色白，非其时也。色脉非时，法皆当病”。

问曰：有未至而至，有至而不至，有至而不去，有至而太过，何谓也？师曰：冬至之后，甲子夜半少阳起，少阳之时阳始生，天得温和。以未得甲子，天因温和，此为未至而至也；以得甲子，而天未温和，此为至而不至也；以得甲子，而天大寒不解，此为至而不去也；以得甲子，而天温如盛夏五六月时，此为至而太过也。

邹鉴：见桂林古本《伤寒杂病论·杂病例第五》。“此为未至而至也；以得甲子，而天未温和，此为至而不至也”原文为“此未至而至也；以得甲子，而天犹未温和，此为至而不至也”。

师曰：病人脉浮者在前，其病在表；浮者在后，其病在里，腰痛背强不能行，必短气而极也。

邹鉴：《伤寒杂病论·平脉法第一》云：“脉浮者在前，其病在表；浮者在后，其病在里；假令濡而上鱼际者，宗气泄也；孤而下尺中者，精不藏也；若乍高乍卑，乍升乍坠，为难治。”“腰痛背强不能行，必短气而极也”可能为王叔和所加。

问曰：经云：“厥阳独行”，何谓也？师曰：此为有阳无阴，故称厥阳。

问曰：寸脉沉大而滑，沉则为实，滑则为气，实气相搏，血气入脏即死，入腑即愈，此为卒厥，何谓也？师曰：唇口青，身冷，为入脏即死；知身和，汗自出，为入腑，即愈。

邹鉴：见桂林古本《伤寒杂病论·杂病例第五》。“知身和”原文为“身和”，“汗自出”原文为“自汗出”。

问曰：脉脱入脏即死，入腑即愈，何谓也？师曰：非为一病，百病皆然。譬如浸淫疮，从口起流向四肢者，可治，从四肢流来入口者，不可治。病在外者可治，入里者即死。

邹鉴：见桂林古本《伤寒杂病论·杂病例第五》。“从口起”原文为“从口”。

问曰：阳病十八，何谓也？师曰：头痛、项、腰、脊、臂、脚掣痛。

阴病十八，何谓也？师曰：咳、上气、喘、哕、咽、肠鸣、胀满、心痛、拘急。五脏病各有十八，合为九十病；人又有六微，微有十八病，合为一百八痛。五劳、七伤、六极、妇人三十六病不在其中。

邹鉴：见桂林古本《伤寒杂病论·杂病例第五》。“头痛、项、腰、脊、臂、脚掣痛”原文为“头项痛、腰、脊、臂、脚掣痛”；“咳、上气、喘、哕、咽、肠鸣、胀满、心痛、拘急”原文为“咳、上气、喘、哕、咽痛、肠鸣、胀满、心痛、拘急”。

“五脏病各有十八，合为九十病；人又有六微，微有十八病，合为一百八痛”原文为“脏病三十六，腑病三十六，合为一百八病”；“五劳”原文为“此外五劳”。

清邪居上，浊邪居下，大邪中表，小邪中里，槃饪之邪，从口入者，宿食也。五邪中人，各有法度，风中于前，寒中于暮，湿伤于下，雾伤于上。风令脉浮，寒令脉急，雾伤皮腠，湿流关节，食伤脾胃，极寒伤经，极热伤络。

邹鉴："清邪居上，浊邪居下，大邪中表，小邪中里，槃饪之邪，从口入者，宿食也。"见桂林古本《伤寒杂病论·杂病例第五》。

"五邪中人，各有法度，风中于前，寒中于暮，湿伤于下，雾伤于上，风令脉浮，寒令脉急，雾伤皮腠，湿流关节，食伤脾胃，极寒伤经，极热伤络"不见于桂林古本《伤寒杂病论·杂病例第五》，见桂林古本《伤寒杂病论·平脉法第一》。原文云："六气所伤，各有法度；舍有专属，病有先后；风中于前，寒中于背；湿伤于下，雾伤于上；雾客皮腠，湿流关节；极寒伤经，极热伤络；风令脉浮，寒令脉紧，又令脉急；暑则浮虚，湿则濡涩；燥短以促，火躁而数；风寒所中，先客太阳；暑气炎热，肺金则伤；湿生长夏，病入脾胃；燥气先伤，大肠合肺；壮火食气，病生于内，心与小肠，先受其害；六气合化，表里相传；脏气偏胜，或移或干；病之变证，难以殚论；能合色脉，可以万全。"仲景讲的是六气伤人的病机表现，王叔和显然没有理解仲景。

问曰：病有急当救里、救表者，何谓也？师曰：病，医下之，续得下利清谷不止，身体疼痛者，急当救里；后身体疼痛，清便自调者，急当救表也。

夫病痼疾，加以卒病，当先治其卒病，后乃治其痼疾也。

师曰：五脏病各有得者愈，五脏病各有所恶，各随其所不喜者为病。病者素不应食，而反暴思之，必发热也。

夫诸病在脏，欲攻之，当随其所得而攻之。如渴者，与猪苓汤，余皆仿此。

邹鉴：见桂林古本《伤寒杂病论·杂病例第五》。"五脏病各有得者愈"原文为"五脏病各有所得者愈"；"各随其所不喜者为病"原文为"各随其所不喜为病"；"病者素不应食"原文为"如病者素不喜食"；"夫诸病在脏，欲攻之"原文为"夫病在诸脏，欲攻"；"余皆仿此"原文为"余仿此"。

以下补桂林古本《伤寒杂病论·杂病例第五》内容：

夫病者手足寒，上气脚缩，此六腑之气绝于外也。下利不禁，手足不仁者，此五脏之气绝于内也。内外气绝者，死不治。

师曰：热在上焦者，因咳为肺痿；热在中焦者，为腹坚；热在下焦者，则尿血，或为淋闷不通。大肠有寒者，多鹜溏；有热者，便肠垢。小肠有寒者，其人下重便脓血；有热者，必痔。

问曰：三焦竭，何谓也？

师曰：上焦受中焦之气，中焦未和，不能消谷，故上焦竭者，必善噫；下焦承中焦之气，中气未和，谷气不行，故下焦竭者，必遗溺失便。

问曰：病有积、有聚、有槃气，何谓也？

师曰：积者，脏病也，终不移处；聚者，腑病也，发作有时，转辗移痛；槃气者，胁下痛，按之则愈，愈而复发，为槃气。诸积之脉，沉细附骨在寸口，积在胸中；微出寸口，积在喉中；在关者，积在脐旁；上关上，积在心下；微出下关，积在少腹。在尺中，积在气冲；脉出左，积在左；脉出右，积在右；脉左右俱出，积在中央；各以其部处之。

邹鉴：以上内容，大部分被王叔和列入了《金匮要略·五脏风寒积聚病脉证并治第十二》篇中。

痉湿暍病脉证治第二

论一首　脉证十二条　方十一首

邹鉴：此篇为王叔和重新整理所得。王叔和把桂林古本《伤寒杂病论·辨痉阴阳易差后病脉证并治》中的痉病内容，选择性移到此处，把其他内容变成了《伤寒论》中《辨阴阳易差后劳复病脉证并治》。王叔和在《伤寒论》中又做《辨痉湿暍脉证第四》，内容与此篇基本重复且遗漏很多。

此篇痉病均见于桂林古本《伤寒杂病论·辨痉阴阳易差后病脉证并治》，且王叔和遗漏了两条；湿病全见于桂林古本《伤寒杂病论·湿病脉证并治第九》中，王叔和也有方药遗漏；暍病都见于桂林古本《伤寒杂病论·伤暑病脉证并治第七》，王叔和仍有遗漏。可以说明王叔和撰次的《金匮要略》源于桂林古本《伤寒杂病论》。

太阳病，发热无汗，反恶寒者，名曰刚痉。

邹鉴：见桂林古本《伤寒杂病论·辨痉阴阳易差后病脉证并治》。“反恶寒者，名曰刚痉”原文为“而恶寒者，若脉沉迟，名刚痉”，王叔和抄漏了脉象。

太阳病，发热汗出而不恶寒，名曰柔痉。

邹鉴：见桂林古本《伤寒杂病论·辨痉阴阳易差后病脉证并治》。原文："太阳病，发热，汗出，不恶寒者，若脉浮数，名柔痉"，王叔和抄漏了脉象。

太阳病，发热，脉沉而细者，名曰痉，为难治。

邹鉴：见桂林古本《伤寒杂病论·辨痉阴阳易差后病脉证并治》。

太阳病，发汗太多，因致痉。

邹鉴：见桂林古本《伤寒杂病论·辨痉阴阳易差后病脉证并治》。

夫风病下之则痉，复发汗，必拘急。

邹鉴：见桂林古本《伤寒杂病论·辨痉阴阳易差后病脉证并治》，此条《伤寒论·辨痉湿暍脉证第四》不见。"夫风病"原文为"风病"。

疮家虽身疼痛，不可发汗，汗出则痉。

邹鉴：见桂林古本《伤寒杂病论·辨太阳病脉证并治中》，此条《伤寒论·辨痉湿暍脉证第四》不见。

病者身热足寒，颈项强急，恶寒，时头热，面赤目赤，独头动摇，卒口噤，背反张者，痉病也。若发其汗者，寒湿相得，其表益虚，即恶寒甚。发其汗已，其脉如蛇（一云其脉浛）。

暴腹胀大者，为欲解，脉如故，反伏弦者，痉。

邹鉴：见桂林古本《伤寒杂病论·辨痉阴阳易差后病脉证并治》，此条部分见于《伤寒论·辨痉湿暍脉证第四》。"其脉如蛇（一云其脉浛）"原文为"其脉如蛇"；"暴腹胀大者"原文为"暴脉长大者"；"脉如故，反伏弦者，痉"原文为"其脉如故，及伏弦者，为未解"。

夫痉脉，按之紧如弦，直上下行（一作筑筑而弦。《脉经》云：痉家其脉伏坚，直上下）。

痉病有灸疮，难治。

邹鉴：见桂林古本《伤寒杂病论·辨痉阴阳易差后病脉证并治》，此条《伤寒论·辨痉湿暍脉证第四》不见。

太阳病，其证备，身体强，几几然，脉反沉迟，此为痉，栝蒌桂枝汤主之。

栝蒌桂枝汤方

栝蒌根（二两） 桂枝（三两） 芍药（三两） 甘草（二两） 生姜（三两）

大枣（十二枚）

上六味，以水九升，煮取三升，分温三服，取微汗。汗不出，食顷，啜热粥发之。

邹鉴：见桂林古本《伤寒杂病论·辨痉阴阳易差后病脉证并治》，此条《伤寒论·辨痉湿暍脉证第四》不见。“几几然”原文为“儿儿然”；“栝蒌根（二两） 桂枝（三两） 芍药（三两） 甘草（二两） 生姜（三两） 大枣十二枚”原文为“栝蒌根（三两） 桂枝三两（去皮） 甘草二两（炙） 芍药（三两） 生姜二两（切） 大枣十二枚（劈）”；“上六味，以水九升，煮取三升，分温三服，取微汗。汗不出，食顷，啜热粥发之”原文为“右六味，以水七升，微火煮取三升，去滓，适寒温服一升，日三服”。

太阳病，无汗而小便反少，气上冲胸，口噤不得语，欲作刚痉，葛根汤主之。

葛根汤方

葛根（四两） 麻黄（三两，去节） 桂枝（二两，去皮） 芍药（二两） 甘草（二两，炙） 生姜（三两） 大枣（十二枚）

上七味，㕮咀，以水七升，先煮麻黄、葛根，减二升，去沫，内诸药，煮取三升，去滓，温服一升，覆取微似汗，不须啜粥，余如桂枝汤法将息及禁忌。

邹鉴：见桂林古本《伤寒杂病论·辨痉阴阳易差后病脉证并治》，此条《伤寒论·辨痉湿暍脉证第四》不见。“欲作刚痉”原文为“欲作刚痉者”；“桂枝（二两，去皮）”原文为“桂枝二两”；“生姜（三两）”原文为“生姜三两（切）”；“大枣（十二枚）”原文为“大枣十二枚（劈）”；“㕮咀”原文无；“以水七升”原文为“以水一斗”；“去沫，内诸药”原文为“去上沫，纳诸药”；“不须啜粥，余如桂枝汤法将息及禁忌”原文为“不汗再进一升，得汗停后服”。

痉为病（一本痉字上有刚字），胸满口噤，卧不着席，脚挛急，必龂齿，可与大承气汤。

大承气汤方

大黄（四两，酒洗） 厚朴（半斤，炙，去皮） 枳实（五枚，炙） 芒硝（三合）

上四味，以水一斗，先煮二物；取五升，去滓，内大黄，煮取二升；去滓，内芒硝，更上火微一二沸，分温再服，得下止服。

邹鉴：见桂林古本《伤寒杂病论·辨痉阴阳易差后病脉证并治》，此条《伤寒论·辨痉湿暍脉证第四》不见。“痉为病（一本痉字上有刚字）”原文为“痉病”；“卧不着席”原文为“卧不著席”；“必龂齿”原文为“必介齿”；“可与大承气汤”原文为“宜大承气汤”；“先煮二物”原文为“先煮枳实、厚朴”；“得下止服”原文为“得一服下者，止后服”；“更上火微一二沸”原文为“更上微火一两沸”。

补桂林古本《伤寒杂病论·辨痉阴阳易差后病脉证并治》论痉病原文：

痉病，手足厥冷，发热间作，唇青目陷，脉沉弦者，风邪入厥阴也，桂枝加附子当归细辛人参干姜汤主之。

桂枝加附子当归细辛人参干姜汤方

桂枝（三两） 芍药（三两） 甘草（二两，炙） 当归（四两） 细辛（一两） 附子（一枚，炮） 人参（二两） 干姜（一两半） 生姜（三两，切） 大枣（十二枚，劈）

右十味，以水一斗二升，煮取四升，去滓，温服一升，日三服，夜一服。

痉病，本属太阳，若发热，汗出，脉弦而实者，转属阳明也，宜承气辈与之。

太阳病，关节疼痛而烦，脉沉而细（一作缓）者，此名湿痹（《玉函》云中湿）。湿痹之候，小便不利，大便反快，但当利其小便。

邹鉴：见桂林古本《伤寒杂病论·湿病脉证并治第九》。“脉沉而细（一作缓）者，此名湿痹（《玉函》云中湿）”原文为“脉沉而细者，此名湿痹”，“小便不利”原文为“其人小便不利”。

湿家之为病，一身尽疼（一云疼烦），发热，身色如熏黄也。

邹鉴：见桂林古本《伤寒杂病论·湿病脉证并治第九》。原文为“湿家之为病，一身尽疼，发热，身色如熏黄”。

湿家，其人但头汗出，背强，欲得被覆向火。若下之早则哕，或胸满，小便不利（一云利），舌上如胎者，以丹田有热，胸上有寒，渴欲得饮而不能饮，则口燥烦也。

邹鉴：见桂林古本《伤寒杂病论·湿病脉证并治第九》。“或胸满，小便不利（一云利），舌上如胎者”原文为“胸满，小便不利，舌上滑苔者”；

“胸上有寒，渴欲得饮而不能饮，则口燥烦也”原文为“胸中有寒，渴欲得水，而不能饮，口燥烦也”。

湿家下之，额上汗出，微喘，小便利（一云不利）者死；若下利不止者亦死。

邹鉴：见桂林古本《伤寒杂病论·湿病脉证并治第九》。“小便利（一云不利）者死”原文为“小便利者死”。

风湿相搏，一身尽疼痛，法当汗出而解，值天阴雨不止，医云此可发汗。汗之病不愈者，何也？盖发其汗，汗大出者，但风气去，湿气在，是故不愈也。若治风湿者，发其汗，但微微似欲出汗者，风湿俱去也。

邹鉴：见桂林古本《伤寒杂病论·湿病脉证并治第九》。“风湿相搏”原文为“问曰：风湿相搏”；“一身尽疼痛”原文为“一身尽疼”；“盖发其汗”原文为“师曰：发其汗”。

湿家病身疼发热，面黄而喘，头痛鼻塞而烦，其脉大，自能饮食，腹中和无病，病在头中寒湿，故鼻塞，内药鼻中则愈（《脉经》云：病人喘。而无“湿家病”以下至“而喘”十三字）。

邹鉴：见桂林古本《伤寒杂病论·湿病脉证并治第九》。“湿家病身疼发热”原文为“湿家病，身上疼痛，发热”。

补原文：

鼻塞方

蒲灰　细辛　皂荚　麻黄

右四味，等分为末，调和，纳鼻中少许，嚏则愈。

湿家身烦疼，可与麻黄加术汤发其汗为宜，慎不可以火攻之。

麻黄加术汤方

麻黄（三两，去节）　桂枝（二两，去皮）　甘草（二两，炙）　炙杏仁（七十个，去皮尖）　白术（四两）

上五味，以水九升，先煮麻黄，减二升，去上沫，内诸药，煮取二升半，去滓，温取八合，覆取微似汗。

邹鉴：见桂林古本《伤寒杂病论·湿病脉证并治第九》，此条《伤寒论·辨痉湿暍脉证第四》不见。“覆取微似汗”原文为“覆取微汗，不得汗再服，得汗，停后服”；“内诸药”原文为“纳诸药”。

病者一身尽疼，发热，日晡所剧者，名风湿。此病伤于汗出当风，或久伤取冷所致也。可与麻黄杏仁薏苡甘草汤。

麻黄杏仁薏苡甘草汤方

麻黄（去节，半两，汤泡） 甘草（一两，炙） 薏苡仁（半两） 杏仁（十个，去皮尖，炒）

上锉麻豆大，每服四钱匕，水盏半，煮八分，去滓，温服。有微汗，避风。

邹鉴：见桂林古本《伤寒杂病论·湿病脉证并治第九》。“名风湿”原文为“此名风湿”。

“麻黄（去节，半两，汤泡） 甘草（一两，炙） 薏苡仁（半两） 杏仁（十个，去皮尖，炒）”原文为“麻黄一两 杏仁二十枚（去皮尖） 薏苡一两 甘草一两（炙）”；“上锉麻豆大，每服四钱匕，水盏半，煮八分，去滓，温服，有微汗，避风”原文为“右四味，以水六升，先煮麻黄，去上沫，纳诸药，煮取三升，去滓，温服一升，日三服”。

风湿，脉浮，身重，汗出，恶风者，防己黄芪汤主之。

防己黄芪汤方

防己（一两） 甘草（半两，炒） 白术（七钱半） 黄芪（一两一分，去芦）

上锉麻豆大，每抄五钱匕，生姜四片，大枣一枚，水盏半，煎八分，去滓，温服，良久再服。喘者，加麻黄半两；胃中不和者，加芍药三分；气上冲者，加桂枝三分；下有陈寒者，加细辛三分。服后当如虫行皮中，从腰下如冰，后坐被上，又以一被绕腰以下，温令微汗，瘥。

邹鉴：见桂林古本《伤寒杂病论·湿病脉证并治第九》。“防己（一两） 甘草（半两，炒） 白术（七钱半） 黄芪（一两一分，去芦）”原文为“防己二两 甘草一两（炙） 白术一两 黄芪二两 生姜一两 大枣十二枚（劈）”。

“上锉麻豆大，每抄五钱匕，生姜四片，大枣一枚，水盏半，煎八分，去滓，温服，良久再服”原文为“右六味，以水一斗，煮取五升，去滓，再煎取三升，温服一升，日三服”。“喘者，加麻黄半两”原文为“喘者加麻黄五分”；“又以一被绕腰以下，温令微汗，瘥”原文为“又以一被绕之，温令有微汗差”。

伤寒八九日，风湿相搏，身体疼烦，不能自转侧，不呕不渴，脉浮虚而涩者，桂枝附子汤主之；若大便坚，小便自利者，去桂加白术汤主之。

桂枝附子汤方

桂枝（四两，去皮） 生姜（三两，切） 附子（三枚，炮，去皮，破八片） 甘草（二两，炙） 大枣（十二枚，擘）

上五味，以水六升，煮取二升，去滓，分温三服。

白术附子汤方

白术（二两） 附子（一枚半，炮，去皮） 甘草（一两，炙） 生姜（一两半，切） 大枣（六枚）

上五味，以水三升，煮取水一升，去滓，分温三服。一服觉身痹，半日许再服，三服都尽，其人如冒状，勿怪，即是术、附并走皮中逐水气，未得除故耳。

邹鉴：见桂林古本《伤寒杂病论·湿病脉证并治第九》。“身体疼烦”原文无。“去桂加白术汤主之”原文为“白术附子汤主之”。

桂枝附子汤方：“附子（三枚，炮去皮，破八片）”原文为“附子二枚（炮）”，“大枣（十二枚，擘）”原文为“大枣十二枚（劈）”。“煮取二升”原文为“煮取三升”。

白术附子汤方：“白术（二两） 附子（一枚半，炮，去皮） 甘草（一两，炙） 生姜（一两半，切） 大枣（六枚）”原文为“白术一两 附子一枚（炮） 甘草二两（炙） 生姜一两半 大枣六枚（劈）”。“即是术、附并走皮中逐水气，未得除故耳”原文为“即术附并走皮中，逐水气，未得除耳。”

风湿相搏，骨节疼烦，掣痛不得伸屈，近之则痛剧，汗出短气，小便不利，恶风不欲去衣，或身微肿者，甘草附子汤主之。

甘草附子汤方

甘草（二两，炙） 附子（二枚，炮，去皮） 白术（二两） 桂枝（四两，去皮）

上四味，以水六升，煮取三升，去滓，温服一升，日三服。初服得微汗则解，能食，汗出复烦者，服五合，恐一升多者，服六七合为妙。

邹鉴：见桂林古本《伤寒杂病论·湿病脉证并治第九》，此条《伤寒论·辨痉湿暍脉证第四》不见。“桂枝（四两，去皮）”原文为“桂枝（四两)”;“服六七合为妙”原文为“服六七合为佳”。

太阳中暍，发热恶寒，身重而疼痛，其脉弦细芤迟。小便已，洒洒然毛耸，手足逆冷；小有劳，身即热，口开前板齿燥。若发其汗，则其恶寒甚；加温针，则发热甚；数下之，则淋甚。

邹鉴：见桂林古本《伤寒杂病论·伤暑病脉证并治第七》。“身重而疼痛”原文为“身重疼痛”;“若发其汗，则其恶寒甚”原文为“若发汗，则恶寒甚”。

补原文：白虎加桂枝人参芍药汤主之。

白虎加桂枝人参芍药汤方

知母（六两） 石膏（一斤碎，棉裹） 甘草（二两，炙） 粳米（六合） 桂枝（一两） 人参（三两） 芍药（二两）

右七味，以水八升，煮米熟，汤成，温服一升，日三服。

太阳中热者，暍是也。汗出恶寒，身热而渴，白虎加人参汤主之。

白虎加人参汤方

知母（六两） 石膏（一斤，碎） 甘草（二两） 粳米（六合） 人参（三两）

上五味，以水一斗，煮米熟汤成，去滓，温服一升，日三服。

邹鉴：见桂林古本《伤寒杂病论·伤暑病脉证并治第七》。“汗出恶寒”原文为“其人汗出，恶寒”;“石膏（一斤，碎） 甘草二两”原文为“石膏一两碎（棉裹） 甘草二两（炙)”。

太阳中暍，身热疼重而脉微弱，此以夏月伤冷水，水行皮中所致也，一物瓜蒂汤主之。

一物瓜蒂汤方

瓜蒂（二七个）

上锉，以水一升，煮取五合，去滓，顿服。

邹鉴：见桂林古本《伤寒杂病论·伤暑病脉证并治第七》。“而脉微弱，此以夏月伤冷水”原文为“而脉微弱者，以夏月伤冷水”;“一物瓜蒂汤主之”原文为“猪苓加人参汤主之；一物瓜蒂汤亦主之”。“瓜蒂（二七个)”原文为“瓜蒂二十个”。

补猪苓加人参汤方

猪苓（一两） 茯苓（一两） 滑石（一两） 泽泻（一两） 阿胶（一两）

人参（三两）

右六味，以水四升，先煮五味，取二升，纳阿胶烊消，温服七合，日三服。

百合狐惑阴阳毒病脉证治第三

论一首　证三条　方十二首

论曰：百合病者，百脉一宗，悉治其病也。意欲食复不能食，常默默，欲卧不能卧，欲行不能行，饮食或有美时，或有不用闻食臭时，如寒无寒，如热无热，口苦，小便赤，诸药不能治，得药则剧吐利，如有神灵者，身形如和，其脉微数。每尿时头痛者，六十日乃愈；若尿时头不痛，淅然者，四十日愈；若尿快然，但头眩者，二十日愈。其证或未病而预见，或病四五日而出，或病二十日，或一月微见者，各随证治之。

邹鉴：见桂林古本《伤寒杂病论·辨百合狐惑阴阳毒病脉证治》。"论曰"原文无。"悉治其病也"原文为"悉致其病也"。"或有不用闻食臭时"原文为"或有不欲闻食臭时"。"尿"原文为"溺"。"淅然者"原文为"淅淅然者"。"若尿快然"原文为"若溺时快然"。"或病四五日而出，或病二十日，或一月微见者"原文为"或病四五日始见，病至二十日，或一月后见者"。"各随证治之"原文为"各随其证，依法治之"。

百合病发汗后者，百合知母汤主之。

百合知母汤方

百合（七枚，擘）　知母（三两，切）

上先以水洗百合，渍一宿，当白沫出，去其水，更以泉水二升，煎取一升，去滓；别以泉水二升煎知母，取一升，去滓；后合和煎，取一升五合，分温再服。

邹鉴：见桂林古本《伤寒杂病论·辨百合狐惑阴阳毒病脉证治》。"百合病发汗后者"原文为"百合病，见于发汗之后者"。"百合（七枚，擘）知母（三两，切）"原文为"百合七枚，知母三两"。"上先以水洗百合，渍一宿，当白沫出，去其水，更以泉水二升，煎取一升，去滓；别以泉水二升煎知母，取一升，去滓；后合和煎，取一升五合，分温再服"原文为

“右二味，先以水洗百合，渍一宿，当白沫出，去其水，另以泉水二升，煮取一升，去滓，别以泉水二升，煮知母取一升，去滓，后合煎取一升五合，分温再服”。

百合病下之后者，滑石代赭汤主之。

滑石代赭汤方

百合（七枚，擘） 滑石（三两，碎，绵裹） 代赭石（如弹丸大，一枚，碎，绵裹）

上先以水洗百合，渍一宿，当白沫出，去其水，更以泉水二升，煎取一升，去滓；别以泉水二升煎滑石、代赭，取一升，去滓；后合和重煎，取一升五合，分温服。

邹鉴：见桂林古本《伤寒杂病论·辨百合狐惑阴阳毒病脉证治》。“百合病下之后者，滑石代赭汤主之”原文为“百合病，见于下之后者，百合滑石代赭汤主之”。“滑石代赭汤方”原文为“百合滑石代赭汤方”。“百合（七枚，擘） 滑石（三两，碎，绵裹） 代赭石（如弹丸大，一枚，碎，绵裹）”原文为“百合七枚 滑石三两 代赭石如弹丸大（碎棉裹）”。“上先以水洗百合，渍一宿，当白沫出，去其水，更以泉水二升，煎取一升，去滓；别以泉水二升煎滑石、代赭，取一升，去滓；后合和重煎，取一升五合，分温服”原文为“右三味，以水先洗，煮百合如前法，别以泉水二升，煮二味，取一升，去滓，合和，重煎，取一升五合，分温再服”。

百合病吐之后者，百合鸡子汤主之。

百合鸡子汤方

百合（七枚，擘） 鸡子黄（一枚）

上先以水洗百合，渍一宿，当白沫出，去其水，更以泉水二升，煎取一升，去滓，内鸡子黄，搅匀，煎五合，温服。

邹鉴：见桂林古本《伤寒杂病论·辨百合狐惑阴阳毒病脉证治》。“百分病吐之后者，百合鸡子汤主之”原文为“百合病，见于吐之后者，百合鸡子黄汤主之”。“百合鸡子汤方”原文为“百合鸡子黄汤方”。“百合（七枚，擘）”原文为“百合（七枚）”。“上先以水洗百合，渍一宿，当白沫出，去其水，更以泉水二升，煎取一升，去滓，内鸡子黄，搅匀，煎五合，温服”原文为“右二味，先洗煮百合如前法，去滓，纳鸡子黄，搅匀，顿服之”。

百合病，不经吐、下、发汗，病形如初者，百合地黄汤主之。

百合地黄汤方

百合（七枚，擘） 生地黄汁（一升）

上以水洗百合，渍一宿，当白沫出，出其水，更以泉水二升，煎取一升，去滓，内地黄汁，煎取一升五合，分温再服。中病，勿更服，大便当如漆。

邹鉴：见桂林古本《伤寒杂病论·辨百合狐惑阴阳毒病脉证治》。“不经吐、下、发汗”原文为“不经发汗、吐下”。“上以水洗百合，渍一宿，当白沫出，出其水，更以泉水二升，煎取一升，去滓，内地黄汁”原文为“右二味，先洗煮百合如上法，去滓，纳地黄汁”。

百合病一月不解，变成渴者，百合洗方主之。

百合洗方

上以百合一升，以水一斗，渍之一宿，以洗身。洗已，食煮饼，勿以盐豉也。

百合病渴不差者，栝蒌牡蛎散主之。

栝蒌牡蛎散方

栝蒌根 牡蛎（熬，等分）

上为细末，饮服方寸匕，日三服。

邹鉴：见桂林古本《伤寒杂病论·辨百合狐惑阴阳毒病脉证治》。以上两条，原文为一条，原文为：“百合病，一月不解，变成渴者，百合洗方主之；不差，栝蒌牡蛎散主之。”

“上以百合一升，以水一斗”原文为“百合一升，右一味，以水一斗”。

“栝蒌根 牡蛎（熬，等分）”原文为“栝蒌根 牡蛎（熬）各等分”。“上为细末，饮服方寸匕”原文为“右二味，捣为散，白饮和服方寸匙”。

百合病变发热者（一作发寒热），百合滑石散主之。

百合滑石散方

百合（一两，炙） 滑石（三两）

上为散，饮服方寸匕，日三服，当微利者，止服，热则除。

邹鉴：见桂林古本《伤寒杂病论·辨百合狐惑阴阳毒病脉证治》。“百合（一两，炙） 滑石（三两）”原文为“百合一两（炙） 滑石二两”。“上为散，饮服方寸匕，日三服，当微利者，止服，热则除”原文为“右二味，为散，饮服方寸匙，日三服，当微利，热除则止后服”。

百合病见于阴者，以阳法救之；见于阳者，以阴法救之。见阳攻阴，复发其汗，此为逆，见阴攻阳，乃复下之，此亦为逆。

邹鉴：见桂林古本《伤寒杂病论·辨百合狐惑阴阳毒病脉证治》。原文同。

狐惑之为病，状如伤寒，默默欲眠，目不得闭，卧起不安，蚀于喉为惑，蚀于阴为狐，不欲饮食，恶闻食臭，其面目乍赤、乍黑、乍白。蚀于上部则声喝（一作嗄），甘草泻心汤主之。

甘草泻心汤方

甘草（四两） 黄芩 人参 干姜（各三两） 黄连（一两） 大枣（十二枚） 半夏（半斤）

上七味，水一斗，煮取六升，去滓，再煎，温服一升，日三服。

蚀于下部则咽干，苦参汤洗之。

苦参汤方

苦参（一升）

以水一斗，煎取七升，去滓，熏洗，日三服。

蚀于肛者，雄黄熏之。

雄黄

上一味为末，筒瓦二枚合之，烧，向肛熏之。

（《脉经》云：病人或从呼吸上蚀其咽，或从下焦蚀其肛阴，蚀上为惑，蚀下为狐。狐惑病者，猪苓散主之。）

邹鉴：见桂林古本《伤寒杂病论·辨百合狐惑阴阳毒病脉证治》。以上三条，原文为一条。桂林古本《伤寒杂病论》：“狐惑之为病，状如伤寒，默默欲眠，目不得闭，卧起不安。蚀于喉为惑，蚀于阴为狐，不欲饮食，恶闻食臭，其面目乍赤，乍黑，乍白，蚀于上部则声嗄，甘草泻心汤主之；蚀于下部则咽干，苦参汤洗之；蚀于肛者，雄黄薰之。”

“蚀于上部则声喝（一作嗄）”，桂林古本《伤寒杂病论》原文为“蚀于上部则声嗄”。王叔和抄写甘草泻心汤将六味改成了七味，多了人参。

甘草泻心汤方原文：

甘草四两（炙） 黄芩三两 干姜三两 半夏升半 黄连一两 大枣十二枚（劈）

右六味，以水一斗，煮取六升，去滓，再煎取三升，温服一升，日三服。

苦参汤方原文：

苦参一斤

右一味，以水一斗，煮取七升，去滓，熏洗，日三次。

雄黄散方

雄黄一两

右一味，为末，筒瓦二枚合之，纳药于中，以火烧烟，向肛熏之。

病者脉数，无热，微烦，默默但欲卧，汗出，初得之三四日，目赤如鸠眼；七八日，目四眦（一本此有黄字）黑。若能食者，脓已成也，赤豆当归散主之。

赤豆当归散方

赤小豆（三升，浸令芽出，曝干） 当归（三两）

上二味，杵为散，浆水服方寸匕，日三服。

邹鉴：见桂林古本《伤寒杂病论·辨百合狐惑阴阳毒病脉证治》。“四眦”原文为“四背”；“赤小豆（三升，浸令芽出，曝干） 当归（三两）”原文为“赤小豆三升（浸令毛出曝干） 当归十两”；“浆水服方寸匕”原文为“浆水服方寸匙”。

阳毒之为病，面赤斑斑如锦文，咽喉痛，唾脓血，五日可治，七日不可治，升麻鳖甲汤主之。

阴毒之为病，面目青，身痛如被杖，咽喉痛，五日可治，七日不可治，升麻鳖甲汤去雄黄蜀椒主之。

升麻鳖甲汤方

升麻（二两） 当归（一两） 蜀椒（炒去汗，一两） 甘草（二两） 鳖甲（手指大一片，炙） 雄黄（半两，研）

上六味，以水四升，煮取一升，顿服之，老小再服。取汗。

(《肘后》《千金方》阳毒用升麻汤，无鳖甲有桂；阴毒用甘草汤，无雄黄)。

邹鉴：桂林古本《伤寒杂病论》原文将阳毒、阴毒及方分列两项，王叔和做了合并。“锦文”原文为“锦纹”。

补桂林古本《伤寒杂病论》升麻鳖甲汤方、升麻鳖甲去雄黄蜀椒汤方原方：

升麻鳖甲汤方

升麻二两　蜀椒一两（去汁）　雄黄五钱（研）　当归一两　甘草二两　鳖甲一片（炙）

右六味，以水四升，煮取一升，顿服之，不差，再服，取汗。

升麻鳖甲去雄黄蜀椒汤方

升麻二两　当归一两　甘草二两　鳖甲一片

右四味，以水二升，煮取一升，去滓，顿服之，不差，再服。

疟病脉证并治第四

证二条　方六首

师曰：疟脉自弦，弦数者多热，弦迟者多寒，弦小紧者下之差，弦迟者可温之，弦紧者可发汗、针灸也。浮大者可吐之，弦数者风发也，以饮食消息止之。

邹鉴：桂林古本《伤寒杂病论》云：“师曰：疟病其脉弦数者，热多寒少；其脉弦迟者，寒多热少。脉弦而小紧者，可下之；弦迟者，可温之；弦紧者，可汗之，针之，灸之；浮大者，可吐之；弦数者，风发也，当于少阳中求之”。

病疟，以月一日发，当以十五日愈；设不差，当月尽解；如其不差，当如何？师曰：此结为癥瘕，名曰疟母，急治之下，宜鳖甲煎丸。

鳖甲煎丸方

鳖甲（十二分，炙）　乌扇（三分，烧）　黄芩（三分）　柴胡（六分）　鼠妇（三分，熬）　干姜（三分）　大黄（三分）　芍药（五分）　桂枝（三分）　葶苈

（一分） 石韦（三分，去毛） 厚朴（三分） 牡丹（五分，去心） 瞿麦（二分） 紫葳（三分） 半夏（一分） 人参（一分） 䗪虫（五分，熬） 阿胶（三分，炙） 蜂窠（四分，熬） 赤硝（十二分） 蜣螂（六分，熬） 桃仁（二分）

上二十三味为末。取煅灶下灰一斗，清酒一斛五斗，浸灰，候酒尽一半，着鳖甲于中，煮令泛烂如胶漆，绞取汁，内诸药，煎为丸，如梧子大，空心服七丸，日三服。《千金方》用鳖甲十二片，又有海藻三分、大戟一分、䗪虫五分，无鼠妇、赤硝二味，以鳖甲煎和诸药为丸。

邹鉴："病疟，以月一日发"原文为"问曰：疟病以月一发者"。"设不差，当月尽解"，桂林古本《伤寒杂病论》云："甚者当月尽解"。"当如何"原文为"当云何"。"名曰"原文为"必有"。"急治之下"原文为"急治之"。

桂林古本《伤寒杂病论》："鳖甲煎丸方：鳖甲，柴胡，黄芩，大黄，牡丹，䗪虫，阿胶。右七味，各等分，捣筛，炼蜜为丸，如梧桐子大，每服七丸，日三服，清酒下，不能饮者，白饮亦可"。可以看出，仲景原文鳖甲煎丸只有七味药，符合仲景制方，更加合理。王叔和鳖甲煎丸方中乌扇、鼠妇、紫葳、蜂窠不见于仲景其他用方，取煅灶下灰、清酒一斛五斗用法也不见于仲景。

师曰：阴气孤绝，阳气独发，则热而少气烦冤，手足热而欲呕，名曰瘅疟。若但热不寒者，邪气内藏于心，外舍分肉之间，令人消铄脱肉。

邹鉴：桂林古本《伤寒杂病论》云："师曰：阴气孤绝，阳气独发，则热而少气烦悗，手足热而欲呕，此名瘅疟，白虎加桂枝人参汤主之。""则热而少气烦冤"原文为"则热而少气烦悗"；"名曰瘅疟"原文为"此名瘅疟"。瘅疟，用"白虎加桂枝人参汤主之"，王叔和脱漏。"若但热不寒者，邪气内藏于心，外舍分肉之间，令人消铄脱肉"不见于桂林古本《伤寒杂病论》，可能为王叔和所加。

补桂林古本《伤寒杂病论》白虎加桂枝人参汤方：知母六两，石膏一斤，甘草二两（炙），粳米二合，桂枝三两，人参三两。右六味，以水一斗，煮米熟，汤成去滓，温服一升，日三服。

温疟者，其脉如平，身无寒但热，骨节疼烦，时呕，白虎加桂枝汤主之。

白虎加桂枝汤方

知母（六两） 甘草（二两，炙） 石膏（一斤） 粳米（二合） 桂枝（去皮，三两）

上锉，每五钱，水一盏半，煎至八分，去滓，温服，汗出愈。

邹鉴：原文“疟病，其脉如平，身无寒，但热，骨节疼烦，时作呕，此名温疟，宜白虎加桂枝汤。白虎加桂枝汤方（即前方去人参一味）”，可以看出，原文更合理，“锉”非仲景用法。“每五钱，水一盏半，煎至八分，去滓，温服，汗出愈”原文为“以水一斗，煮米熟，汤成去滓，温服一升，日三服”。

疟多寒者，名曰牡疟，蜀漆散主之。

蜀漆散方

蜀漆（洗去腥） 云母（烧二日 夜） 龙骨各等分

上三味，杵为散，未发前，以浆水服半钱，温疟加蜀漆半分。临发时，服一钱匕。（一方云母作云实）

邹鉴：桂林古本《伤寒杂病论》云：“疟病，多寒，或但寒不热者，此名牡疟，蜀漆散主之，柴胡桂姜汤亦主之。”

补：桂林古本《伤寒杂病论》蜀漆散方、柴胡桂姜汤方

蜀漆散方

蜀漆（洗去腥） 云母（烧二日夜） 龙骨各等分

右三味，杵为散，未发前以浆水和服半钱匙。

柴胡桂姜汤方

柴胡半斤 桂枝三两 干姜二两 栝蒌根四两 黄芩三两 甘草二两（炙） 牡蛎二两（熬）

右七味，以水一斗，煮取六升，去滓，再煎取三升，温服一升，日三服，初服微烦，再服，汗出便愈。

附《外台秘要》方

牡蛎汤 治牡疟。

牡蛎（四两，熬） 麻黄（四两，去节） 甘草（二两） 蜀漆（三两）

上四味，以水八升，先煮蜀漆、麻黄，去上沫，得六升，内诸药，煮取二升，温服一升。若吐，则勿更服。

柴胡去半夏加栝蒌汤 治疟病发渴者，亦治劳疟。

柴胡（八两） 人参 黄芩 甘草（各三两） 栝蒌根（四两） 生姜（二两） 大枣（十二枚）

上七味，以水一斗二升，煮取六升，去滓，再煎取三升，温服一升，日二服。

柴胡姜桂汤 治疟寒多微有热，或但寒不热。服一剂如神。

柴胡（半斤） 桂枝（三两，去皮） 干姜（二两） 栝蒌根（四两） 黄芩（三两） 牡蛎（三两，熬） 甘草（二两，炙）

上七味，以水一斗二升，煮取六升，去滓，再煎服三升，温服一升，日三服。初服微烦，复服汗出，便愈。

中风历节病脉证并治第五

论一首 脉证三条 方十二首

邹鉴：此篇“中风”不见于桂林古本《伤寒杂病论》，见于《脉经·卷八·平中风历节脉证第五》，考虑为王叔和增加。“历节”见于桂林古本《伤寒杂病论·卷第十四·辨咳嗽水饮黄汗历节病脉证并治》。

夫风之为病，当半身不遂，或但臂不遂者，此为痹。脉微而数，中风使然。

邹鉴：不见于桂林古本《伤寒杂病论》，见《脉经·卷八·平中风历节脉证第五》，考虑为王叔和增加。

寸口脉浮而紧，紧则为寒，浮则为虚；寒虚相搏，邪在皮肤；浮者血虚，络脉空虚；贼邪不泻，或左或右；邪气反缓，正气即急，正气引邪，㖞僻不遂。

邹鉴：不见于桂林古本《伤寒杂病论》，见《脉经·卷八·平中风历节脉证第五》，考虑为王叔和增加。

邪在于络，肌肤不仁；邪在于经，即重不胜；邪入于腑，即不识人；邪入于脏，舌即难言，口吐涎。

邹鉴：不见于桂林古本《伤寒杂病论》，见《脉经·卷八·平中风历节脉证第五》，考虑为王叔和增加。

侯氏黑散

治大风，四肢烦重，心中恶寒不足者。（《外台》治风癫）

菊花（四十分） 白术（十分） 细辛（三分） 茯苓（三分） 牡蛎（三分） 桔梗（八分） 防风（十分） 人参（三分） 矾石（三分） 黄芩（三分） 当归（三分） 干姜（三分） 川芎（三分） 桂枝（三分）

上十四味，杵为散，酒服方寸匕，日一服，初服二十日，温酒调服，禁一切鱼肉大蒜，常宜冷食，六十日止，即药积在腹中不下也。热食即下矣，冷食自能助药力。

邹鉴：不见于桂林古本《伤寒杂病论》，亦不见于《脉经》，可能为后世增加，方中剂量用法及禁忌都与仲景不谐。

寸口脉迟而缓，迟则为寒，缓则为虚，营缓则为亡血，卫缓则为中风。邪气中经则身痒而瘾疹；心气不足，邪气入中，则胸满而短气。

邹鉴：不见于桂林古本《伤寒杂病论》，见《脉经·卷八·平中风历节脉证第五》，考虑为王叔和增加。“营缓则为亡血，卫缓则为中风”，《脉经》云：“荣缓则为亡血，卫迟则为中风”。

风引汤 除热癫痫。

大黄 干姜 龙骨（各四两） 桂枝（三两） 甘草 牡蛎（各二两） 寒水石 滑石 赤石脂 白石脂 紫石英 石膏（各六两）

上十二味，杵，粗筛，以韦囊盛之，取三指撮，井花水三升，煮三沸，温服一升。（治大人风引，少小惊痫瘛疭，日数十发，医所不疗，除热方。巢氏云：脚气宜风引汤）

防己地黄汤 治病如狂状，妄行，独语不休，无寒热，其脉浮。

防己（一分） 桂枝（三分） 防风（三分） 甘草（二分）

上四味，以酒一杯，渍之一宿，绞取汁。生地黄二斤，㕮咀，蒸之如斗米饭久，以铜器盛其汁，更绞地黄汁，和分再服。

头风摩散方

大附子（一枚，炮）　盐（等分）

上二味为散，沐了，以方寸匕，已摩疢上，令药力行。

邹鉴：以上三方均不见于桂林古本《伤寒杂病论》，亦不见于《脉经》，可能为后世增加。

寸口脉沉而弱，沉即主骨，弱即主筋，沉即为肾，弱即为肝。汗出入水中，如水伤心，历节黄汗出，故曰历节。

邹鉴：见桂林古本《伤寒杂病论·辨咳嗽水饮黄汗历节病脉证并治》。“历节黄汗出”原文为“历节痛，黄汗出”。

趺阳脉浮而滑，滑则谷气实，浮则汗自出。

邹鉴：此条考虑为王叔和增加，见于《脉经·卷八·平中风历节脉证第五》。桂林古本《伤寒杂病论·平脉法第二》云：“趺阳脉浮而滑，浮为阳，滑为实，阳实相搏，其脉数疾，卫气失度。浮滑之脉变为数疾，发热汗出者，不治。”

少阴脉浮而弱，弱则血不足，浮则为风，风血相搏，即疼痛如掣。盛人脉涩小，短气，自汗出，历节疼，不可屈伸，此皆饮酒汗出当风所致。

邹鉴：见桂林古本《伤寒杂病论·辨咳嗽水饮黄汗历节病脉证并治》。“盛人脉涩小”原文为“肥盛之人脉涩小”。“此皆饮酒汗出当风所致”原文为“此皆饮酒汗出当风所致也”。

诸肢节疼痛，身体魁羸，脚肿如脱，头眩短气，温温欲吐，桂枝芍药知母汤主之。

桂枝芍药知母汤方

桂枝（四两）　芍药（三两）　甘草（二两）　麻黄（二两）　生姜（五两）　白术（五两）　知母（四两）　防风（四两）　附子（二两，炮）

上九味，以水七升，煮取二升，温服七合，日三服。

邹鉴：见桂林古本《伤寒杂病论·辨咳嗽水饮黄汗历节病脉证并治》。“身体魁羸”原文为“身体羸瘦”。“温温欲吐”原文为“温温欲吐者”。“桂枝芍药知母汤”原文为“桂枝芍药知母甘草汤”。

“桂枝（四两）　芍药（三两）　甘草（二两）　麻黄（二两）　生姜（五两）　白术（五两）　知母（四两）　防风（四两）　附子（二两，炮）”

原文为“桂枝三两　芍药三两　知母二两　甘草二两”。“上九味，以水七升，煮取二升，温服七合，日三服”原文为“右四味，以水六升，煮取三升，去滓，温服一升，日三服”。

味酸则伤筋，筋伤则缓，名曰泄。咸则伤骨，骨伤则痿，名曰枯。枯泄相搏，名曰断泄。荣气不通，卫不独行，荣卫俱微，三焦无所御，四属断绝，身体羸瘦，独足肿大，黄汗出，胫冷。假令发热，便为历节也。

邹鉴：见桂林古本《伤寒杂病论·辨咳嗽水饮黄汗历节病脉证并治》。“三焦无所御”原文为“三焦无御”。“胫冷。假令发热，便为历节也”原文为“两胫热，便为历节”。

乌头汤方　治脚气疼痛，不可屈伸。

麻黄　芍药　黄芪（各三两）　甘草（三两，炙）　川乌（五枚，㕮咀，以蜜二升，煎取一升，即出乌头）

上五味，㕮咀四味，以水三升，煮取一升，去滓，内蜜煎中更煎之，服七合。不知，尽服之。

邹鉴：见桂林古本《伤寒杂病论·辨咳嗽水饮黄汗历节病脉证并治》。“乌头汤方　治脚气疼痛，不可屈伸”原文为“乌头麻黄黄芪芍药甘草汤方”。

“麻黄　芍药　黄芪（各三两）　甘草（三两，炙）　川乌（五枚，㕮咀，以蜜二升，煎取一升，即出乌头）”原文为“乌头五枚（切）　麻黄三两　黄芪三两　芍药三两　甘草三两”。

“上五味，㕮咀四味，以水三升，煮取一升，去滓，内蜜煎中更煎之，服七合。不知，尽服之”原文为“右五味，先以蜜二升煮乌头，取一升，去滓，别以水三升煮四味，取一升，去滓，纳蜜再煮，一二沸，服七合，不知尽服之”。

矾石汤　治脚气冲心。

矾石（二两）

上一味，以浆水一斗五升，煎三五沸，浸脚良。

邹鉴：不见于桂林古本《伤寒杂病论》，考虑为后世增加。

附方

《古今录验》续命汤 治中风痱，身体不能自收，口不能言，冒昧不知痛处，或拘急不得转侧。（姚云：与大续命同，兼治妇人产后去血者，及老人、小儿）

麻黄 桂枝 当归 人参 石膏 干姜 甘草（各三两） 川芎（一两） 杏仁（四十枚）

上九味，以水一斗，煮取四升，温服一升，当小汗。薄覆脊，凭几坐，汗出则愈，不汗更服。无所禁，勿当风。并治但伏不得卧，咳逆上气，面目浮肿。

《千金》三黄汤 治中风，手足拘急，百节疼痛，烦热心乱，恶寒，经日不欲饮食。

麻黄（五分） 独活（四分） 细辛（二分） 黄芪（三分） 黄芩（三分）

上五味，以水六升，煮取二升，分温三服，一服小汗，二服大汗。心热加大黄二分，腹满加枳实一枚，气逆加人参三分，悸加牡蛎三分，渴加栝蒌根三分，先有寒加附子一枚。

《近效方》术附汤 治风虚头重眩，苦极，不知食味，暖肌补中，益精气。

白术（二两） 附子（一枚半，炮，去皮） 甘草（一两，炙）

上三味，锉，每七钱匕，姜五片，枣一枚，水盏半，煎七分，去滓，温服。

崔氏八味丸 治脚气上入，少腹不仁。

干地黄（八两） 山茱萸 薯蓣（各四两） 泽泻 茯苓 牡丹皮（各三两） 桂枝 炮附子（各一两）

上八味，末之，炼蜜和丸梧子大。酒下十五丸，日再服。

《千金方》越婢加术汤 治肉极热，则身体津脱，腠理开，汗大泄，厉风气，下焦脚弱。

麻黄（六两） 石膏（半斤） 生姜（三两） 甘草（二两） 白术（四两） 大枣（十五枚）

上六味，以水六升，先煮麻黄，去上沫，内诸药，煮取三升，分温三服。恶风加附子一枚，炮。

血痹虚劳病脉证并治第六

论一首　脉证九条　方九首

问曰：血痹病从何得之？师曰：夫尊荣人，骨弱肌肤盛，重因疲劳汗出，卧不时动摇，加被微风，遂得之。但以脉自微涩，在寸口、关上小紧，宜针引阳气，令脉和，紧去则愈。

邹鉴：见桂林古本《伤寒杂病论·辨血痹虚劳病脉证并治》。“血痹病”原文为“血痹之病”。“夫尊荣人”原文为“夫尊荣之人”。“但以脉自微涩，在寸口、关上小紧”原文为“但以脉寸口微涩，关上小紧”。

血痹，阴阳俱微，寸口关上微，尺中小紧，外证身体不仁，如风痹状，黄芪桂枝五物汤主之。

黄芪桂枝五物汤方

黄芪（三两）　芍药（三两）　桂枝（三两）　生姜（六两）　大枣（十二枚）

上五味，以水六升，煮取二升，温服七合，日三服。（一方有人参）

邹鉴：见桂林古本《伤寒杂病论·辨血痹虚劳病脉证并治》。“寸口关上微”原文为“或寸口关上微”。“一方有人参”可能为后世所加，原方无人参。

夫男子平人，脉大为劳，极虚亦为劳。

邹鉴：见桂林古本《伤寒杂病论·辨血痹虚劳病脉证并治》。“夫男子平人”原文为“男子平人”。

男子面色薄者，主渴及亡血，猝喘悸，脉浮者，里虚也。

邹鉴：见桂林古本《伤寒杂病论·辨血痹虚劳病脉证并治》。“猝喘悸”原文为“卒喘悸”。

男子脉虚沉弦，无寒热，短气里急，小便不利，面色白，时目瞑，兼衄，少腹满，此为劳使之然。

邹鉴：见桂林古本《伤寒杂病论·辨血痹虚劳病脉证并治》。与原文相同。

劳之为病，其脉浮大，手足烦，春夏剧，秋冬瘥，阴寒精自出，酸削不能行。

邹鉴：见桂林古本《伤寒杂病论·辨血痹虚劳病脉证并治》。“秋冬瘥”原文为“秋冬差”。

男子脉浮弱而涩，为无子，精气清冷（一作冷）。

邹鉴：见桂林古本《伤寒杂病论·辨血痹虚劳病脉证并治》。“浮弱而涩”原文为“浮弱涩”；“精气清冷（一作冷）”原文为“精气清冷”。

夫失精家，少腹弦急，阴头寒，目眩（一作目眶痛），发落，脉极虚芤迟，为清谷，亡血失精。脉得诸芤动微紧，男子失精，女子梦交，桂枝加龙骨牡蛎汤主之。

桂枝加龙骨牡蛎汤方（《小品》云：虚羸浮热汗出者，除桂，加白薇、附子各三分，故曰二加龙骨汤）

桂枝　芍药　生姜（各三两）　甘草（二两）　大枣（十二枚）　龙骨　牡蛎（各三两）

上七味，以水七升，煮取三升，分温三服。

天雄散方

天雄（三两，炮）　白术（八两）　桂枝（六两）　龙骨（三两）

上四味，杵为散，酒服半钱匕，日三服，不知，稍增之。

邹鉴：见桂林古本《伤寒杂病论·辨血痹虚劳病脉证并治》。“夫失精家，少腹弦急”原文为“失精家，少阴脉弦急”。“目眩（一作目眶痛）”原文为“目眩”。“脉极虚芤迟”原文为“脉极虚芤迟者”。“脉得诸芤动微紧，男子失精，女子梦交”原文为“脉得诸芤动微紧者，男子则失精，女子则梦交”。“桂枝加龙骨牡蛎汤主之”原文为“桂枝龙骨牡蛎汤主之。天雄散亦主之”。

“桂枝加龙骨牡蛎汤方（《小品》云：虚羸浮热汗出者，除桂，加白薇、附子各三分，故曰二加龙骨汤）”原文为“桂枝龙骨牡蛎汤方”。“甘草（二两）”原文为“甘草二两（炙）”。“煮取三升，分温三服”原文为“煮取三升，去滓，分温三服”。

天雄散方用法：“酒服半钱匕”原文为“酒服半钱匙”。“不知，稍增之”原文为“不知稍增，以知为度”。

男子平人，脉虚弱细微者，善盗汗也。

邹鉴：见桂林古本《伤寒杂病论·辨血痹虚劳病脉证并治》。“善盗汗也”原文为“喜盗汗也”。

人年五六十，其病脉大者，痹夹背行，苦肠鸣，马刀挟瘿者，皆为劳得之。

脉沉小迟，名脱气，其人疾行则喘喝，手足逆寒，腹满，甚则溏泄，食不消化也。

邹鉴：以上两条，桂林古本《伤寒杂病论》为一条。桂林古本《伤寒杂病论·辨血痹虚劳病脉证并治》云：“人年五六十，其脉大者，病痹，挟背行；若肠鸣，马刀挟瘿者，皆为劳得之也。其脉小沉迟者，病脱气，疾行则喘渴；手足逆寒者，亦劳之为病也。”

脉弦而大，弦则为减，大则为芤，减则为寒，芤则为虚，虚寒相搏，此名为革。

妇人则半产漏下，男子则亡血失精。

邹鉴：见桂林古本《伤寒杂病论·平脉法第二》。

虚劳里急，悸，衄，腹中痛，梦失精，四肢酸疼，手足烦热，咽干口燥，小建中汤主之。

小建中汤方

桂枝（三两，去皮） 甘草（三两，炙） 大枣（十二枚） 芍药（六两） 生姜（三两） 胶饴（一升）

上六味，以水七升，煮取三升，去渣，内胶饴，更上微火消解，温服一升，日三服。（呕家不可用建中汤，以甜故也）

《千金》疗男女因积冷气滞，或大病后不复常，苦四肢沉重，骨肉酸疼，吸吸少气，行动喘乏，胸满气急，腰背强痛，心中虚悸，咽干唇燥，面体少色，或饮食无味，胁肋腹胀，头重不举，多卧少起，甚者积年，轻者百日，渐至瘦弱，五脏气竭，则难可复常，六脉俱不足，虚寒乏气，少腹拘急，羸瘠百病，名曰黄芪建中汤，又有人参二两。

邹鉴：见桂林古本《伤寒杂病论·辨血痹虚劳病脉证并治》。“咽干口燥”原文为“咽干口燥者”。“桂枝（三两，去皮）”原文为“桂枝三两”。“胶饴（一升）”原文为“饴糖一升”。“呕家不可用建中汤，以甜故也”可能为后世所加。

“《千金》疗男女因积冷气滞，或大病后不复常，苦四肢沉重，骨肉酸疼，吸吸少气，行动喘乏，胸满气急，腰背强痛，心中虚悸，咽干唇燥，面体少色，或饮食无味，胁肋腹胀，头重不举，多卧少起，甚者积年，轻者百日，渐至瘦弱，五脏气竭，则难可复常，六脉俱不足，虚寒乏气，少腹拘急，羸瘠百病，名曰黄芪建中汤，又有人参二两”为后世所加。

虚劳里急，诸不足，黄芪建中汤主之。（于小建中汤加黄芪一两半，余依上法。气短胸满者加生姜，腹满者去枣，加茯苓一两半，及疗肺虚损不足，补气加半夏三两）

邹鉴：见桂林古本《伤寒杂病论·辨血痹虚劳病脉证并治》。“诸不足”原文为“诸不足者”。“于小建中汤内加黄芪一两半，余依上法。气短胸满者加生姜，腹满者去枣，加茯苓一两半，及疗肺虚损不足，补气加半夏三两”原文为：“黄芪建中汤方：即前方小建中加黄芪一两半。气短，胸满者，加生姜一两；腹满者，去大枣，加茯苓一两半；大便秘结者，去大枣，加枳实一两半；肺气虚损者，加半夏三两”。

虚劳腰痛，少腹拘急，小便不利者，八味肾气丸主之。（方见脚气中）

邹鉴：见桂林古本《伤寒杂病论·辨血痹虚劳病脉证并治》。“八味肾气丸主之”原文为“肾气丸主之”。“方见脚气中”原文为“肾气丸方”。

补肾气丸方：

地黄（八两） 薯蓣（四两） 山茱萸（四两） 泽泻（三两） 牡丹皮（三两） 茯苓（三两） 桂枝（一两） 附子（一枚，炮）

右八味，捣筛，炼蜜和丸，如梧桐子大，酒下十五丸，渐加至二十五丸，日再服，不能饮者，白饮下之。

虚劳诸不足，风气百疾，薯蓣丸主之。

薯蓣丸方

薯蓣（三十分） 当归 桂枝 曲 干地黄 豆黄卷（各十分） 甘草（二十八分） 人参（七分） 川芎 芍药 白术 麦门冬 杏仁（各六分） 柴胡 桔梗 茯苓（各五分） 阿胶（七分） 干姜（三分） 白敛（二分） 防风（六分） 大枣（百枚），为膏

上二十一味，末之，炼蜜和丸，如弹子大，空腹酒服一丸，一百丸为剂。

邹鉴：桂林古本《伤寒杂病论》无，王叔和《脉经》不载，可能为后

世所增加。

虚劳虚烦不得眠，酸枣汤主之。

酸枣汤方

酸枣仁（二升） 甘草（一两） 知母（二两） 茯苓（二两） 川芎（二两）（《深师》有生姜二两）

上五味，以水八升，煮酸枣仁，得六升，内诸药，煮取三升，分温三服。

邹鉴：见桂林古本《伤寒杂病论·辨血痹虚劳病脉证并治》。“川芎（二两）（《深师》有生姜二两）”原文为“川芎一两”。“内诸药，煮取三升，分温三服”原文为“纳诸药，煮取三升，去滓，温服一升，日三服”。

五劳虚极羸瘦，腹满不能饮食，食伤、忧伤、饮伤、房室伤、饥伤、劳伤、经络营卫气伤，内有干血，肌肤甲错，两目黯黑。缓中补虚，大黄䗪虫丸主之。

大黄䗪虫丸方

大黄（十分，蒸） 黄芩（二两） 甘草（三两） 桃仁（一升） 杏仁（一升） 芍药（四两） 干地黄（十两） 干漆（一两） 虻虫（一升） 水蛭（百枚） 蛴螬（一升） 䗪虫（半升）

上十二味，末之，炼蜜和丸小豆大，酒饮服五丸，日三服。

邹鉴：见桂林古本《伤寒杂病论·辨血痹虚劳病脉证并治》。“大黄（十分，蒸）”原文为“大黄十两”。“干地黄十两”原文为“地黄（十两）”。“炼蜜和丸小豆大”原文为“炼蜜和丸，如小豆大”。

补桂林古本《伤寒杂病论》：

女劳，膀胱急，少腹满，身尽黄，额上黑，足下热，其腹胀如水状，大便溏而黑，胸满者，难治，硝石矾石散主之。

硝石矾石散方

硝石（熬黄） 矾石（烧） 各等分

右二味，为散，大麦粥汁和服方寸匙，日三服，大便黑，小便黄，是其候也。

附方

《千金翼》炙甘草汤（一云复脉汤） 治虚劳不足，汗出而闷，脉结悸，行动如常，不出百日，危急者十一日死。

甘草四两（炙） 桂枝 生姜各三两 麦门冬半升 麻仁半升 人参 阿胶各二两 大枣三十枚 生地黄一升

上九味，以酒七升，水八升，先煮八味取三升，去滓，内胶消尽，温服一升，日三服。

《肘后》獭肝散 治冷劳，又主鬼疰一门相染。

獭肝一具，炙干末之，水服方寸匕，日三服。

肺痿肺痈咳嗽上气病脉证治第七

论三首 脉证四条 方十六首

邹鉴：《肺痿肺痈咳嗽上气病脉证治第七》原文无此篇，《脉经》有《平肺痿肺痈咳逆上气痰饮脉证治第十五》，部分内容见于桂林古本《伤寒杂病论·辨咳嗽水饮黄汗历节病脉证并治》。

问曰：热在上焦者，因咳为肺痿。肺痿之病，从何得之？师曰：或从汗出，或从呕吐，或从消渴，小便利数，或从便难，又被快药下利，重亡津液，故得之。曰：寸口脉数，其人咳，口中反有浊唾涎沫者何？师曰：为肺痿之病。若口中辟辟燥，咳即胸中隐隐痛，脉反滑数，此为肺痈，咳唾脓血。脉数虚者为肺痿，数实者为肺痈。

问曰：病咳逆，脉之何以知此为肺痈？当有脓血，吐之则死，其脉何类？师曰：寸口脉微而数，微则为风，数则为热，微则汗出，数则恶寒。风中于卫，呼气不入；热过于荣，吸而不出。风伤皮毛，热伤血脉，风舍于肺，其人则咳，口干喘满，咽燥不渴，时唾浊沫，时时振寒。热之所过，血为之凝滞，蓄结痈脓，吐如米粥。始萌可救，脓成则死。

上气面浮肿，肩息，其脉浮大，不治，又加利尤甚。

上气喘而躁者，属肺胀，欲作风水，发汗则愈。

邹鉴：以上内容桂林古本《伤寒杂病论》原文无，见《脉经·卷八·平肺痿肺痈咳逆上气痰饮脉证治第十五》，为王叔和发挥。

肺痿吐涎沫而不咳者，其人不渴，必遗尿，小便数，所以然者，以上虚不能制下故也。此为肺中冷，必眩，多涎唾，甘草干姜汤以温之。若服汤已渴者，属消渴。

甘草干姜汤方

甘草（四两，炙） 干姜（二两，炮）

上㕮咀，以水三升，煮取一升五合，去滓，分温再服。

邹鉴：桂林古本《伤寒杂病论·辨咳嗽水饮黄汗历节病脉证并治》云："似咳非咳，唾多涎沫，其人不渴，此为肺冷，甘草干姜汤主之。""上㕮咀"原文为"右二味"。

咳而上气，喉中水鸡声，射干麻黄汤主之。

射干麻黄汤方

射干（十三枚，一法三两） 麻黄（四两） 生姜（四两） 细辛 紫菀 款冬花（各三两） 五味子（半斤） 大枣（七枚） 半夏（大者，洗，八枚，一法半升）

上九味，以水一斗二升，先煮麻黄两沸，去上沫，内诸药，煮取三升，分温三服。

邹鉴：见桂林古本《伤寒杂病论·辨咳嗽水饮黄汗历节病脉证并治》。"咳而上气，喉中水鸡声"原文为"咳而气逆，喉中作水鸡声者"。

"射干（十三枚，一法三两） 麻黄（四两） 生姜（四两） 细辛 紫菀 款冬花（各三两） 五味子（半斤） 大枣（七枚） 半夏（大者，洗，八枚，一法半升）"原文为"射干三两 麻黄三两 半夏半升 五味子半升 生姜四两 细辛三两 大枣七枚"。"上九味，以水一斗二升，先煮麻黄两沸，去上沫，内诸药，煮取三升，分温三服"原文为"右七味，以水一斗二升，先煮麻黄，去上沫，纳诸药，煮取三升，分温三服"。

咳逆上气，时时吐唾浊，但坐不得眠，皂荚丸主之。

皂荚丸方

皂荚（八两，刮去皮，用酥炙）

上一味，末之，蜜丸梧子大，以枣膏和汤取三丸，日三夜一服。

邹鉴：见桂林古本《伤寒杂病论·辨咳嗽水饮黄汗历节病脉证并治》。“时时吐唾浊，但坐不得眠”原文为“时唾浊痰，但坐不得眠者”。“刮去皮，用酥炙”原文为“刮去皮酥炙”。“上一味，末之，蜜丸梧子大，以枣膏和汤取三丸，日三夜一服”原文为“右一味，末之，蜜丸如梧桐子大，以枣膏和汤，服三丸，日三服，夜一服”。

咳而脉浮者，厚朴麻黄汤主之。

厚朴麻黄汤方

厚朴（五两）　麻黄（四两）　石膏（如鸡子大）　杏仁（半升）　半夏（半升）　干姜（二两）　细辛（二两）　小麦（一升）　五味子（半升）

上九味，以水一斗二升，先煮小麦熟，去滓，内诸药，煮取三升，温服一升，日三服。

邹鉴：见桂林古本《伤寒杂病论·辨咳嗽水饮黄汗历节病脉证并治》。“厚朴（五两）　麻黄（四两）　石膏（如鸡子大）　杏仁（半升）　半夏（半升）　干姜（二两）　细辛（二两）　小麦（一升）　五味子（半升）”原文为“厚朴五两　麻黄四两　石膏如鸡子大　杏仁半升　半夏半升　五味子半升”。“上九味，以水一斗二升，先煮小麦熟，去滓，内诸药，煮取三升，温服一升，日三服”原文为“右六味，以水一斗，先煮麻黄，去沫，纳诸药，煮取三升，去滓，分温三服”。

脉沉者，泽漆汤主之。

泽漆汤方

半夏（半斤）　紫参（五两）（一作紫菀）　泽漆（三斤，以东流水五斗，煮取一斗五升）　生姜（五两）　白前（五两）　甘草　黄芩　人参　桂枝（各三两）

上九味，㕮咀，内泽漆汁中，煮取五升，温服五合，至夜尽。

邹鉴：见桂林古本《伤寒杂病论·辨咳嗽水饮黄汗历节病脉证并治》。“脉沉者”原文为“咳而脉沉者”。泽漆汤方原文为“半夏半升　紫参五两　泽漆三升　生姜五两　人参三两　甘草三两（炙）　右六味，以东流水五斗，先煮泽漆，取一斗五升，纳诸药，煮取五升，温服五合，日夜服尽”。

大逆上气，咽喉不利，止逆下气者，麦门冬汤主之。

麦门冬汤方

麦门冬（七升） 半夏（一升） 人参（二两） 甘草（二两） 粳米（三合） 大枣（十二枚）

上六味，以水一斗二升，煮取六升，温服一升，日三夜一服。

邹鉴：见桂林古本《伤寒杂病论·辨咳嗽水饮黄汗历节病脉证并治》。“大逆上气，咽喉不利，止逆下气者”原文为“咳而上气，咽喉不利，脉数者”。“甘草二两”原文为“甘草二两（炙）”。“温服一升，日三夜一服”原文为“去滓，温服一升，日三服，夜三服”。

肺痈，喘不得卧，葶苈大枣泻肺汤主之。

葶苈大枣泻肺汤方

葶苈（熬令黄色，捣丸如弹子大） 大枣（十二枚）

上先以水三升，煮枣取二升，去枣，内葶苈，煮取一升，顿服。

邹鉴：见桂林古本《伤寒杂病论·辨咳嗽水饮黄汗历节病脉证并治》。原文为“咳而气逆，喘鸣，迫塞胸满而胀，一身面目浮肿，鼻出清涕，不闻香臭，此为肺胀，葶苈大枣泻肺汤主之”。

“上先以水三升，煮枣取二升，去枣，内葶苈，煮取一升，顿服”原文为“右二味，以水三升，先煮大枣取二升，去枣，纳葶苈，煮取一升，去滓，顿服”。

咳而胸满，振寒脉数，咽干不渴，时出浊唾腥臭，久久吐脓如米粥者，为肺痈，桔梗汤主之。

桔梗汤方（亦治血痹）

桔梗（一两） 甘草（二两）

上二味，以水三升，煮取一升，分温再服，则吐脓血也。

邹鉴：见桂林古本《伤寒杂病论·辨咳嗽水饮黄汗历节病脉证并治》。“为肺痈”原文为“此为肺痈”。“桔梗汤方（亦治血痹）”原文为“桔梗汤方”。“上二味，以水三升，煮取一升，分温再服，则吐脓血也”原文为“右二味，以水三升，煮取二升，去滓，分温再服”。

咳而上气，此为肺胀，其人喘，目如脱状，脉浮大者，越婢加半夏汤主之。

越婢加半夏汤方

麻黄（六两） 石膏（半斤） 生姜（三两） 大枣（十五枚） 甘草（二两） 半夏（半升）

上六味，以水六升，先煮麻黄，去上沫，内诸药，煮取三升，分温三服。

肺胀，咳而上气，烦躁而喘，脉浮者，心下有水，小青龙加石膏汤主之。

小青龙加石膏汤方（《千金》证治同，外更加胁下痛引缺盆）

麻黄 芍药 桂枝 细辛 甘草 干姜（各三两） 五味子 半夏（各半升） 石膏（二两）

上九味，以水一斗，先煮麻黄，去上沫，内诸药，煮取三升。强人服一升，羸者减之，日三服，小儿服四合。

邹鉴：见桂林古本《伤寒杂病论·辨咳嗽水饮黄汗历节病脉证并治》，以上两条，原文为一条。原文为“咳而气喘，目如脱状，脉浮大者，此为肺胀，越婢加半夏汤主之；小青龙加石膏汤亦主之”。

越婢加半夏汤方用法：“内诸药，煮取三升，分温三服”原文为“纳诸药，煮取三升，去滓，分温三服”。

“小青龙加石膏汤方（《千金》证治同，外更加胁下痛引缺盆） 麻黄 芍药 桂枝 细辛 甘草 干姜（各三两） 五味子 半夏（各半升） 石膏（二两） 上九味，以水一斗，先煮麻黄，去上沫，内诸药，煮取三升。强人服一升，羸者减之，日三服，小儿服四合。”原文为“小青龙加石膏汤方 即前小青龙汤加石膏二两”。

附方

《外台》炙甘草汤 治肺痿涎唾多，心中温温液液者（方见虚劳）。

《千金》甘草汤

甘草

上一味，以水三升，煮减半，分温三服。

《千金》生姜甘草汤 治肺痿咳唾涎沫不止，咽燥而渴。

生姜（五两） 人参（二两） 甘草（四两） 大枣（十五枚）

上四味，以水七升，煮取三升，分温三服。

《千金》桂枝去芍药加皂荚汤 治肺痿吐涎沫。

桂枝 生姜（各三两） 甘草（二两） 大枣（十枚） 皂荚（一枚，去皮子，炙焦）

上五味，以水七升，微微火煮，取三升，分温三服。

《外台》桔梗白散 治咳而胸满，振寒脉数，咽干不渴，时出浊唾腥臭，久久吐脓如米粥者，为肺痈。

桔梗 贝母（各三分） 巴豆（一分去皮，熬，研如脂）

上三味，为散，强人饮服半钱匕，羸者减之。病在膈上者吐脓血，膈下者泻出，若下多不止，饮冷水一杯则定。

《千金》苇茎汤 治咳有微热，烦满，胸中甲错，是为肺痈。

苇茎（二升） 薏苡仁（半升） 桃仁（五十枚） 瓜瓣（半升）

上四味，以水一斗，先煮苇茎，得五升，去滓，内诸药，煮取二升，服一升，再服当吐如脓。

肺痈胸满胀，一身面目浮肿，鼻塞清涕出，不闻香臭酸辛，咳逆上气，喘鸣迫塞，葶苈大枣泻肺汤主之。（方见上，三日一剂，可至三四剂，此先服小青龙汤一剂乃进。小青龙汤方见咳嗽门中）。

奔豚气病脉证治第八

论二首 方三首

邹鉴：桂林古本《伤寒杂病论》无此篇，其内容散见于桂林古本《伤寒杂病论·辨太阳病脉证并治中》。

师曰：病奔豚，有吐脓，有惊怖，有火邪，此四部病，皆从惊发得之。

师曰：奔豚病，从少腹起，上冲咽喉，发作欲死，复还止，皆从惊恐得之。

邹鉴：见桂林古本《伤寒杂病论·辨太阳病脉证并治中》。原文为“奔豚病，从少腹上冲咽喉，发作欲死，复还止者，皆从惊恐得之”。

奔豚气上冲胸，腹痛，往来寒热，奔豚汤主之。

奔豚汤方

甘草　川芎　当归（各二两）　半夏（四两）　黄芩（二两）　生葛（五两）　芍药（二两）　生姜（四两）　甘李根白皮（一升）

上九味，以水二斗，煮取五升，温服一升，日三夜一服。

邹鉴：见桂林古本《伤寒杂病论·辨太阳病脉证并治中》。“甘草　川芎　当归（各二两）　半夏（四两）　黄芩（二两）　生葛（五两）　芍药（二两）　生姜（四两）　甘李根白皮（一升）”原文为“甘草二两（炙）　川芎二两　当归二两　黄芩二两　芍药二两　半夏四两　生姜四两　葛根五两　桂枝三两”。

“上九味，以水二斗，煮取五升，温服一升，日三夜一服”原文为“右九味，以水二斗，煮取五升，温服一升，日三服，夜二服”。

发汗后，烧针令其汗，针处被寒，核起而赤者，必发贲豚，气从少腹上至心，灸其核上各一壮，与桂枝加桂汤主之。

桂枝加桂汤方

桂枝（五两）　芍药（三两）　甘草（二两，炙）　生姜（三两）　大枣（十二枚）

上五味，以水七升，微火煮取三升，去滓，温服一升。

邹鉴：见桂林古本《伤寒杂病论·辨太阳病脉证并治中》。“发汗后，烧针令其汗”原文为“烧针令其汗”。“气从少腹上至心”原文为“气从少腹上冲心者”。“与桂枝加桂汤主之”原文为“与桂枝加桂汤”。“生姜（三两）”原文为“生姜三两（切）”。“大枣十二枚”原文为“大枣十二枚（劈）”。“微火煮取三升，去滓，温服一升”原文为“煮取三升，去滓，温服一升，日三服”。

发汗后，脐下悸者，欲作奔豚，茯苓桂枝甘草大枣汤主之。

茯苓桂枝甘草大枣汤方

茯苓（半斤）　甘草（二两，炙）　大枣（十五枚）　桂枝（四两）

上四味，以甘澜水一斗，先煮茯苓，减二升，内诸药，煮取三升，去滓，温服一升，日三服。(甘澜水法：取水二斗，置大盆内，以杓扬之，水上有珠子五六千颗相逐，取用之)

邹鉴：见桂林古本《伤寒杂病论·辨太阳病脉证并治》。“脐下悸者，欲作奔豚”原文为“其人脐下悸者，欲作‘奔豚’也”。“大枣十五枚”原文为“大枣十五枚（劈)”。“甘澜水法”原文为“作甘澜水法”。

胸痹心痛短气病脉证治第九

论一首　证一首　方十首

邹鉴：桂林古本《伤寒杂病论》原文篇题为《辨胸痹病脉证并治》。

师曰：夫脉当取太过不及，阳微阴弦，即胸痹而痛，所以然者，责其极虚也。今阳虚知在上焦，所以胸痹、心痛者，以其阴弦故也。

邹鉴：见桂林古本《伤寒杂病论·辨胸痹病脉证并治》。“所以胸痹、心痛者”原文为“胸痹而痛者”。“以其阴弦故也”原文为“以其脉弦故也”。

平人无寒热，短气不足以息者，实也。

邹鉴：见桂林古本《伤寒杂病论·辨胸痹病脉证并治》。“短气不足以息者”原文为“胸痹，短气不足以息者”。

胸痹之病，喘息咳唾，胸背痛，短气，寸口脉沉而迟，关上小紧数，栝蒌薤白白酒汤主之。

栝蒌薤白白酒汤方

栝蒌实（一枚，捣）　薤白（半斤）　白酒（七升）

上三味，同煮，取二升，分温再服。

邹鉴：见桂林古本《伤寒杂病论·辨胸痹病脉证并治》。“胸痹之病，喘息咳唾，胸背痛，短气，寸口脉沉而迟，关上小紧数”原文为“胸痹，喘、息、咳、唾，胸背痛，寸脉沉迟，关上小紧数者”。

胸痹不得卧，心痛彻背者，栝蒌薤白半夏汤主之。

栝蒌薤白半夏汤方

栝蒌实（一枚） 薤白（三两） 半夏（半斤） 白酒（一斗）

上四味，同煮，取四升，温服一升，日三服。

邹鉴：见桂林古本《伤寒杂病论·辨胸痹病脉证并治》。“栝蒌实（一枚）”原文为“栝蒌实（一枚，捣）”。“半夏（半斤）”原文为“半夏（半升）”。“取四升，温服一升”原文为“取四升，去滓，温服一升”。

胸痹心中痞，留气结在胸，胸满，胁下逆抢心，枳实薤白桂枝汤主之；人参汤亦主之。

枳实薤白桂枝汤方

枳实（四枚） 厚朴（四两） 薤白（半斤） 桂枝（一两） 栝蒌实（一枚，捣）

上五味，以水五升，先煮枳实、厚朴，取二升，去滓，内诸药，煮数沸，分温三服。

人参汤方

人参 甘草 干姜 白术（各三两）

上四味，以水八升，煮取三升，温服一升，日三服。

邹鉴：见桂林古本《伤寒杂病论·辨胸痹病脉证并治》。“胁下逆抢心，枳实薤白桂枝汤主之；人参汤亦主之”原文为“胁下逆抢心者，枳实薤白桂枝厚朴栝蒌汤主之；桂枝人参汤亦主之”。

“枳实薤白桂枝汤方”原文为“枳实薤白桂枝厚朴栝蒌汤方”。“栝蒌实（一枚，捣）”原文为“栝蒌一枚（捣）”。

“人参汤方”原文为“桂枝人参汤方”。“人参 甘草 干姜 白术（各三两）”原文为“桂枝（四两） 人参（三两） 甘草（三两） 干姜（三两） 白术（三两）”。“上四味，以水八升，煮取三升，温服一升，日三服”原文为“右五味，以水一斗，先煮四味，取五升，纳桂枝，更煮取三升，去滓，温服一升，日三服”。

胸痹，胸中气塞，短气，茯苓杏仁甘草汤主之，橘枳姜汤亦主之。

茯苓杏仁甘草汤方

茯苓（三两） 杏仁（五十个） 甘草（一两）

上三味，以水一斗，煮取五升，温服一升，日三服。不差更服。

橘枳姜汤方

橘皮（一斤） 枳实（三两） 生姜（半斤）

上三味，以水五升，煮取二升，分温再服。(《肘后》《千金》云：治胸痹，胸中愊愊如满，噎塞习习如痒，喉中涩燥，唾沫)

邹鉴：见桂林古本《伤寒杂病论·辨胸痹病脉证并治》。“短气”原文为“或短气者，此胸中有水气也”。“橘枳姜汤亦主之”原文为“橘皮枳实生姜汤亦主之”。

茯苓杏仁甘草汤方：“茯苓（三两） 杏仁（五十个） 甘草（一两）”原文为“茯苓二两 杏仁五十个 甘草一两（炙）”。“煮取五升，温服一升”原文为“煮取五升，去滓，温服一升”。

“橘枳姜汤方”原文为“橘皮枳实生姜汤方”。“煮取二升，分温再服。(《肘后》《千金》云：治胸痹，胸中愊愊如满，噎塞习习如痒，喉中涩燥，唾沫)”原文为“煮取二升，去滓，分温再服”。

胸痹缓急者，薏苡附子散主之。

薏苡附子散方

薏苡仁（十五两） 大附子（十枚，炮）

上二味，杵为散，服方寸匕，日三服。

邹鉴：见桂林古本《伤寒杂病论·辨胸痹病脉证并治》。“胸痹缓急者”原文为“胸痹，时缓时急者”。“薏苡仁（十五两）”原文为“薏苡十五两”。“服方寸匕”原文为“白饮服方寸匙”。

心中痞，诸逆，心悬痛，桂枝生姜枳实汤主之。

桂枝生姜枳实汤方

桂枝 生姜（各三两） 枳实（五枚）

上三味，以水六升，煮取三升，分温三服。

邹鉴：见桂林古本《伤寒杂病论·辨胸痹病脉证并治》。“心中痞，诸逆心悬痛”原文为“胸痹，心中悬痛者”。“桂枝 生姜（各三两）”原文为“桂枝三两 生姜三两”。“煮取三升，分温三服”原文为“煮取三升，去滓，分温三服”。

心痛彻背，背痛彻心，乌头赤石脂丸主之。

乌头赤石脂丸方

蜀椒（一两，一法二分） 乌头（一分，炮） 附子（半两，炮，一法一分） 干姜（一两，一法一分） 赤石脂（一两，一法二分）

上五味，末之，蜜丸如梧子大，先食服一丸，日三服。不知，稍加服。

邹鉴：见桂林古本《伤寒杂病论·辨胸痹病脉证并治》。“心痛彻背，背痛彻心”原文为“胸痹，胸痛彻背，背痛彻胸者”。

“蜀椒（一两，一法二分） 乌头（一分，炮） 附子（半两，炮，一法一分） 干姜（一两，一法一分） 赤石脂（一两，一法二分）”原文为“乌头一两 蜀椒一两 附子五钱 干姜一两 赤石脂一两”。“上五味，末之，蜜丸如梧子大，先食服一丸，日三服（不知，稍加服）”原文为“右五味，末之，蜜为丸，如梧桐子大，先食，服一丸，日三服，不知稍增，以知为度”。

九痛丸 治九种心痛。

附子（三两，炮） 生狼牙（一两，炙香） 巴豆（一两，去皮心，熬，研如脂） 人参 干姜 吴茱萸（各一两）

上六味，末之，炼蜜丸如梧子大，酒下，强人初服三丸，日三服，弱者二丸。兼治卒中恶，腹胀痛，口不能言。又治连年积冷，流注心胸痛，并冷肿上气，落马坠车血疾等，皆主之，忌口如常法。

邹鉴：见桂林古本《伤寒杂病论·辨胸痹病脉证并治》。“九痛丸 治九种心痛”原文为“胸痹，心下痛，或有恶血积冷者，九痛丸主之。九痛丸方”。

“附子（三两，炮） 生狼牙（一两，炙香）”原文为“附子三两 狼毒四两”。“并冷肿上气”原文为“冷气上冲”。“炼蜜丸如梧子大”原文为“蜜丸如梧桐子大”。

腹满寒疝宿食病脉证治第十

论一首　脉证十六条　方十四首

邹鉴：《腹满寒疝宿食病脉证治》篇名不见于桂林古本《伤寒杂病论》。

趺阳脉微弦，法当腹满，不满者必便难，两胠疼痛，此虚寒从下上也，当以温药服之。

邹鉴：见桂林古本《伤寒杂病论·辨阳明病脉证并治》。原文为“趺阳脉微而弦，法当腹满，若不满者，必大便难，两胠疼痛，此为虚寒，当温之，宜吴茱萸汤（方见前）”。

病者腹满，按之不痛为虚，痛者为实，可下之。舌黄未下者，下之黄自去。

腹满时减，复如故，此为寒，当与温药。

邹鉴：以上两条，桂林古本《伤寒杂病论》不见，见《脉经·卷八·平腹满寒疝宿食脉证治第十一》，《脉经》并为一条。

病者痿黄，躁而不渴，胸中寒实，而利不止者死。

邹鉴：桂林古本《伤寒杂病论》及《脉经》均无。

寸口脉弦者，即胁下拘急而痛，其人啬啬恶寒也。

邹鉴：桂林古本《伤寒杂病论》不见，见《脉经·卷八·平腹满寒疝宿食脉证治第十一》。“即胁下拘急而痛”《脉经》原文为“则胁下拘急而痛”。

夫中寒家，喜欠，其人清涕出，发热色和者，善嚏。

中寒，其人下利，以里虚也，欲嚏不能，此人肚中寒（一云痛）。

邹鉴：以上两条，桂林古本《伤寒杂病论》及《脉经》均无。

夫瘦人绕脐痛，必有风冷，谷气不行，而反下之，其气必冲，不冲者，心下则痞。

邹鉴：见桂林古本《伤寒杂病论·辨阳明病脉证并治》。原文为“夫病人腹痛绕脐，此为阳明风冷，谷气不行，若反下之，其气必冲，若不冲者，心下则痞，当温之，宜理中汤”。

病腹满，发热十日，脉浮而数，饮食如故，厚朴七物汤主之。

厚朴七物汤方

厚朴（半斤） 甘草 大黄（各三两） 大枣（十枚） 枳实（五枚） 桂枝（二两） 生姜（五两）

上七味，以水一斗，煮取四升，温服八合，日三服。呕者加半夏五合，下利去大黄，寒多者加生姜至半斤。

邹鉴：见桂林古本《伤寒杂病论·辨阳明病脉证并治》。原文为“阳明病发热，十余日，脉浮而数，腹满，饮食如故者，厚朴七物汤主之”。“煮取四升”原文为“煮取四升，去滓”。“呕者加半夏五合，下利去大黄，寒多者加生姜至半斤”原文无。

腹中寒气，雷鸣切痛，胸胁逆满，呕吐，附子粳米汤主之。

附子粳米汤方

附子（一枚，炮） 半夏（半升） 甘草（一两） 大枣（十枚） 粳米（半升）

上五味，以水八升，煮米熟，汤成，去滓，温服一升，三日服。

邹鉴：见桂林古本《伤寒杂病论·辨阳明病脉证并治》。原文：“阳明病，腹中切痛，雷鸣，逆满，呕吐者，此虚寒也，附子粳米汤主之。”附子粳米汤的方药组成及用法与桂林古本原文完全一致。

痛而闭者，厚朴三物汤主之。

厚朴三物汤方

厚朴（八两） 大黄（四两） 枳实（五枚）

上三味，以水一斗二升，先煮二味，取五升，内大黄，煮取三升，温服一升，以利为度。

邹鉴：桂林古本《伤寒杂病论》无此条文。“厚朴三物汤”出自《脉经》，方未见。《脉经》原文：“病腹满，发热数十日，脉浮而数，饮食如故，厚朴三物汤主之。”

按之心下满痛者，此为实也，当下之，宜大柴胡汤。

大柴胡汤方

柴胡（半斤） 黄芩（三两） 芍药（三两） 半夏（半升，洗） 枳实（四枚，炙） 大黄（二两） 大枣（十二枚） 生姜（五两）

上八味，以水一斗二升，煮取六升，去滓，再煎，温服一升，日三服。

邹鉴：桂林古本《伤寒杂病论》及《脉经》均无。

腹满不减，减不足言，当须下之，宜大承气汤。

大承气汤方

大黄（四两，酒洗） 厚朴（半斤，去皮，炙） 枳实（五枚，炙） 芒硝（三合）

上四味，以水一斗，先煮二物，取五升，去滓，内大黄，煮取二升，内芒硝，更上火微一二沸，分温再服，下，余勿服。

邹鉴：见桂林古本《伤寒杂病论·辨阳明病脉证并治》。“当须下之”原文为“当下之”；“大承气汤方”原文为“方见前”。

心胸中大寒痛，呕不能饮食，腹中寒，上冲皮起，出见有头足，上下痛而不可触近，大建中汤主之。

大建中汤方

蜀椒（二合，去汗） 干姜（四两） 人参（二两）

上三味，以水四升，煮取二升，去滓，内胶饴一升，微火煎取一升半，分温再服；如一炊顷，可饮粥二升，后更服，当一日食糜，温覆之。

邹鉴：见桂林古本《伤寒杂病论·辨阳明病脉证并治》。原文：“阳明病，腹中寒痛，呕不能食，有物突起，如见头足，痛不可近者，大建中汤主之。”“蜀椒（二合，去汗） 干姜（四两） 人参（二两）”原文为“蜀椒二合去目汗 干姜四两 人参一两 胶饴一升”。“上三味，以水四升，煮取二升，去滓，内胶饴一升”原文为“右四味，以水四升，先煮三味，取二升，去滓，纳胶饴”。“煎取”原文为“煮取”。“当一日食糜”原文为“当一日食糜粥”。

胁下偏痛，发热，其脉紧弦，此寒也，以温药下之，宜大黄附子汤。

大黄附子汤方

大黄（三两） 附子（三枚，炮） 细辛（二两）

上三味，以水五升，煮取二升，分温三服。若强人煮取二升半，分温三服，服后如人行四五里，进一服。

邹鉴：见桂林古本《伤寒杂病论·辨阳明病脉证并治》。原文：“阳明病，腹满，胁下偏痛，发微热，其脉弦紧者，当以温药下之，宜大黄附子细辛汤。”

“大黄附子汤方”原文为“大黄附子细辛汤方”。“附子（三枚，炮）”原文为“附子三两”。“右三味，以水五升，煮取二升，分温三服。若强人煮取二升半，分温三服，服后如人行四五里，进一服”原文为“右三味，以水五升，煮取二升，去滓，分温三服，一服后，如人行四五里，再进一服”。

寒气厥逆，赤丸主之。

赤丸方

茯苓（四两） 半夏（四两，洗，一方用桂） 乌头（二两，炮） 细辛（一两，《千金》作人参）

上四味，末之，内真朱为色，炼蜜丸如麻子大，先食酒饮下三丸，日再夜一服；不知，稍增之，以知为度。

邹鉴：桂林古本《伤寒杂病论》及《脉经》均无。

腹痛，脉弦而紧，弦则卫气不行，即恶寒，紧则不欲食，邪正相搏，即为寒疝。绕脐痛，若发则白汗出，手足厥冷，其脉沉弦者，大乌头煎主之。

大乌头煎方

乌头（大者五枚，熬，去皮，不㕮咀）

上以水三升，煮取一升，去滓，内蜜二升，煎令水气尽，取二升，强人服七合，弱人服五合。不差，明日更服，不可一日再服。

邹鉴：见桂林古本《伤寒杂病论·辨厥阴病脉证并治》。原文：“厥阴病，脉弦而紧，弦则卫气不行，紧则不欲食，邪正相搏，即为寒疝，绕脐而痛，手足厥冷，是其候也；脉沉紧者，大乌头煎主之。”

“乌头（大者五枚，熬，去皮，不㕮咀）”原文为“乌头大者五枚（熬去皮）”。“上以水三升”原文为“右一味，以水三升”。“不可一日再服”原文无。

寒疝腹中痛，及胁痛里急者，当归生姜羊肉汤主之。

当归生姜羊肉汤方

当归（三两） 生姜（五两） 羊肉（一斤）

上三味，以水八升，煮取三升，温服七合，日三服。若寒多者加生姜成

一斤；痛多而呕者，加橘皮二两、白术一两。加生姜者，亦加水五升，煮取三升二合，服之。

邹鉴：见桂林古本《伤寒杂病论·辨厥阴病脉证并治》。“及胁痛里急者”原文为“若胁痛里急者”。“若寒多者加生姜成一斤”原文为“寒多者加生姜成一斤”。“服之”原文为“分温三服”。

寒疝腹中痛，逆冷，手足不仁，若身疼痛，灸刺诸药不能治，抵当乌头桂枝汤主之。

乌头桂枝汤方

乌头

上一味，以蜜二斤，煎减半，去滓，以桂枝汤五合解之，得一升后，初服二合，不知，即服三合；又不知，复加之五合。其知者，如醉状，得吐者，为中病。

桂枝汤方

桂枝（三两，去皮） 芍药（三两） 甘草（二两，炙） 生姜（三两） 大枣（十二枚）

上五味，剉，以水七升，微火煮取三升，去滓。

邹鉴：见桂林古本《伤寒杂病论·辨厥阴病脉证并治》。“手足不仁，若身疼痛，灸刺诸药不能治，抵当乌头桂枝汤主之”原文为“手足不仁，若逆冷，若身疼痛，灸刺诸药不能治者，乌头桂枝汤主之”。

“乌头”原文为“乌头五枚”。“以蜜二斤，煎减半”原文为“以蜜二升，煮减半”。“得一升后”原文为“令得一升”。“又不知，复加之五合”原文为“又不知加至五合”。

其脉数而紧乃弦，状如弓弦，按之不移。脉数弦者，当下其寒；脉紧大而迟者，必心下坚；脉大而紧者，阳中有阴，可下之。

邹鉴：桂林古本《伤寒杂病论》不见，部分见于《脉经·卷八·平腹满寒疝宿食脉证治第十一》。“其脉数而紧乃弦，状如弓弦，按之不移。脉数弦者，当下其寒”，桂林古本《伤寒杂病论》及《脉经》均无。“脉紧大而迟者”《脉经》原文为“脉双弦而迟者”。

附　方

《外台》乌头汤　治寒疝腹中绞痛，贼风入攻五脏，拘急，不得转侧，发作有时，使人阴缩，手足厥逆（方见上）。

《外台》柴胡桂枝汤方　治心腹卒中痛者。

柴胡（四两）　黄芩　人参　芍药　桂枝　生姜（各一两半）　甘草（一两）　半夏（二合半）　大枣（六枚）

上九味，以水六升，煮取三升，温服一升，日三服。

《外台》走马汤　治中恶心痛腹胀，大便不通。

巴豆（二枚，去皮心，熬）　杏仁（二枚）

上二味，以绵缠，捶令碎，热汤二合，捻取白汁饮之，当下。老小量之。通治飞尸鬼击病。

问曰：人病有宿食，何以别之？师曰：寸口脉浮而大，按之反涩，尺中亦微而涩，故知有宿食，大承气汤主之。

邹鉴：见桂林古本《伤寒杂病论·辨阳明病脉证并治》。“问曰：人病有宿食，何以别之？”原文为“问曰：阳明宿食何以别之？”“故知有宿食，大承气汤主之”原文为“故知其有宿食也，大承气汤主之。(方见前)”。

脉数而滑者，实也，此有宿食，下之愈，宜大承气汤。

邹鉴：见桂林古本《伤寒杂病论·辨阳明病脉证并治》。原文为“寸口脉数而滑者，此为有宿食也”。“下之愈，宜大承气汤”原文无。

下利不饮食者，有宿食也，当下之，宜大承气汤。

大承气汤方（见前痉病中）

邹鉴：见桂林古本《伤寒杂病论·辨阳明病脉证并治》。原文为“下利不欲食者，此为有宿食也”。“当下之，宜大承气汤”原文无。

宿食在上脘，当吐之，宜瓜蒂散。

瓜蒂散方

瓜蒂（一枚，熬黄）　赤小豆（一分，煮）

上二味，杵为散，以香豉七合煮取汁，和散一钱匕，温服之。不吐者，少加之，以快吐为度而止。（亡血及虚者不可与之）。

邹鉴：见桂林古本《伤寒杂病论·辨阳明病脉证并治》。原文为“宿食在上脘者，法当吐之，宜瓜蒂散”。

“瓜蒂（一枚，熬黄） 赤小豆（一分，煮）”原文为“瓜蒂一分 赤小豆一分”。“和散一钱匕”原文为“和散一钱匙”。“吐者，少加之，以快吐为度而止。（亡血及虚者不可与之）”原文为“不吐稍加，得吐止后服”。

脉紧如转索无常者，有宿食也。

邹鉴：见桂林古本《伤寒杂病论·辨阳明病脉证并治》。原文为“脉紧如转索者，此为有宿食也”。

脉紧，头痛风寒，腹中有宿食不化也。（一云寸口脉紧）

邹鉴：见桂林古本《伤寒杂病论·辨阳明病脉证并治》。原文为“脉紧，腹中痛，恶风寒者，此为有宿食也”。

金匮要略方论卷中

五脏风寒积聚病脉证并治第十一

论二首　脉证十七条　方二首

邹鉴：《五脏风寒积聚病脉证并治》不见于桂林古本《伤寒杂病论》。

肺中风者，口燥而喘，身运而重，冒而肿胀。

肺中寒，吐浊涕。

肺死脏，浮之虚，按之弱如葱叶，下无根者，死。

肝中风者，头目瞤，两胁痛，行常伛，令人嗜甘。

肝中寒者，两臂不举，舌本燥，喜太息，胸中痛，不得转侧，食则吐而汗出也。《脉经》《千金》云："时盗汗、咳，食已吐其汁"。

肝死脏，浮之弱，按之如索不来，或曲如蛇行者，死。

肝着，其人常欲蹈其胸上，先未苦时，但欲饮热，旋覆花汤主之。（臣亿等校诸本旋覆花汤方，皆同）。

心中风者，翕翕发热，不能起，心中饥，食即呕吐。

心中寒者，其人苦病心如啖蒜状，剧者心痛彻背，背痛彻心，譬如蛊注。其脉浮者，自吐乃愈。

心伤者，其人劳倦，即头面赤而下重，心中痛而自烦，发热，当脐跳，其脉弦，此为心脏伤所致也。

心死脏，浮之实如麻豆，按之益躁疾者，死。

邪哭使魂魄不安者，血气少也；血气少者属于心，心气虚者，其人则畏，合目欲眠，梦远行而精神离散，魂魄妄行。阴气衰者为癫，阳气衰者为狂。

脾中风者，翕翕发热，形如醉人，腹中烦重，皮目瞤瞤而短气。

脾死脏，浮之大坚，按之如覆杯，洁洁状如摇者，死（臣亿等详五脏各有中风中寒，今脾中载中风，肾中风、中寒俱不载者，以古文简乱极多，去古既远，无文可以补缀也）。

邹鉴：以上数条不见于桂林古本《伤寒杂病论》，部分内容见于《脉经》。

趺阳脉浮而涩，浮则胃气强，涩则小便数，浮涩相搏，大便则坚，其脾为约，麻子仁丸主之。

麻子仁丸方

麻子仁（二升） 芍药（半斤） 枳实（一斤） 大黄（一斤） 厚朴（一尺） 杏仁（一升）

上六味，末之，炼蜜和丸梧子大，饮服十丸，日三，渐加，以知为度。

邹鉴：见桂林古本《伤寒杂病论·辨阳明病脉证并治》。“浮涩相搏”原文为“浮数相搏”。“大便则坚”原文为“大便则鞕”。

“枳实（一斤） 大黄（一斤） 厚朴（一尺） 杏仁（一升）”原文为“枳实半斤（炙） 大黄一斤（去皮） 厚朴一只（炙） 杏仁一升（去皮尖）”。

“末之，炼蜜和丸梧桐子大，饮服十丸，日三”原文为“蜜为丸，如梧桐子大，饮服十丸，日三服”。

肾著之病，其人身体重，腰中冷，如坐水中，形如水状，反不渴，小便自利，饮食如故，病属下焦，身劳汗出，衣（一作表）里冷湿，久久得之，腰以下冷痛，腹重如带五千钱，甘姜苓术汤主之。

甘草干姜茯苓白术汤方

甘草 白术（各二两） 干姜 茯苓（各四两）

上四味，以水五升，煮取三升，分温三服，腰中即温。

邹鉴：此条不见于桂林古本《伤寒杂病论》，见《脉经·卷六·肾足少阴经病证第九》。《脉经》原文：“肾著之为病，其人身体重，腰中冷如冰状，反不渴，小便自利，饮食如故，是其证也。病属下焦。从身劳汗出，衣里冷湿故，久久得之。”

肾死脏，浮之坚，按之乱如转丸，益下入尺中者，死。

邹鉴：此条不见于桂林古本《伤寒杂病论》，见《脉经·卷三·肾膀胱部第五》。

问曰：三焦竭部，上焦竭善噫，何谓也？师曰：上焦受中焦气未和，不能消谷，故能噫耳。下焦竭，即遗溺失便，其气不和，不能自禁制，不须治，久则愈。

邹鉴：见桂林古本《伤寒杂病论·杂病例第五》。原文为“问曰：三焦竭，何谓也？师曰：上焦受中焦之气，中焦未和，不能消谷，故上焦竭者，必善噫；下焦承中焦之气，中气未和，谷气不行，故下焦竭者，必遗溺失便”。

师曰：热在上焦者，因咳为肺痿；热在中焦者，则为坚；热在下焦者，则尿血，亦令淋秘不通。大肠有寒者，多鹜溏；有热者，便肠垢。小肠有寒者，其人下重便血；有热者，必痔。

邹鉴：见桂林古本《伤寒杂病论·杂病例第五》。“热在中焦者，则为坚”原文为“热在中焦者，为腹坚”。“亦令淋秘不通”原文为“或为淋閟不通”。“其人下重便血”原文为“其人下重便脓血”。

问曰：病有积、有聚、有槃气，何谓也？师曰：积者，脏病也，终不移；聚者，腑病也，发作有时，展转痛移，为可治；槃气者，胁下痛，按之则愈，复发为槃气。诸积大法，脉来细而附骨者，乃积也。寸口，积在胸中；微出寸口，积在喉中；关上，积在脐旁，上关上，积在心下；微下关，积在少腹；尺中，积在气冲。脉出左，积在左；脉出右，积在右，脉两出，积在中央，各以其部处之。

邹鉴：见桂林古本《伤寒杂病论·杂病例第五》。“脏病也，终不移”原文为“脏病也，终不移处”。“展转痛移，为可治”原文为“转辗移痛”。“复发为槃气”原文为“愈而复发，为槃气”。“诸积大法，脉来细而附骨者，乃积也。寸口，积在胸中”原文为“诸积之脉，沉细附骨在寸口，积在胸中”。“关上”原文为“在关者”。“微下关”原文为“微出下关”。“尺中”原文为“在尺中”。“脉两出”原文为“脉左右俱出”。

痰饮咳嗽病脉证并治第十二

论一首　脉证二十一条　方十八首

邹鉴：此篇内容见桂林古本《伤寒杂病论·辨咳嗽水饮黄汗历节病脉证并治》。

问曰：夫饮有四，何谓也？师曰：有痰饮，有悬饮，有溢饮，有支饮。

问曰：四饮何以为异？师曰：其人素盛今瘦，水走肠间，沥沥有声，谓之痰饮。饮后水流在胁下，咳唾引痛，谓之悬饮。饮水流行，归于四肢，当汗出而不汗出，身体疼重，谓之溢饮。咳逆倚息，短气不得卧，其形如肿，谓之支饮。

邹鉴：见桂林古本《伤寒杂病论·辨咳嗽水饮黄汗历节病脉证并治》。以上两条，桂林古本《伤寒杂病论》原文为一条。

原文为“问曰：饮病奈何？师曰：饮病有四：曰痰饮，曰悬饮，曰溢饮，曰支饮。其人素盛今瘦，水走肠间，沥沥有声，为痰饮；水流胁下，咳唾引痛，为悬饮；水归四肢，当汗不汗，身体疼重，为溢饮；水停膈下，咳逆倚息，短气不得卧，其形如肿，为支饮”。

水在心，心下坚筑，短气，恶水不欲饮。

水在肺，吐涎沫，欲饮水。

水在脾，少气身重。

水在肝，胁下支满，嚏而痛。

水在肾，心下悸。

邹鉴：见桂林古本《伤寒杂病论·辨咳嗽水饮黄汗历节病脉证并治》。以上五条，原文为一条。原文为“水在心，则心下坚筑，短气，恶水不欲饮；水在肺，必吐涎沫，欲饮水；水在脾，则少气身重；水在肝，则胁下支满，嚏则胁痛；水在肾，则心下悸”。

夫心下有留饮，其人背寒冷如手大。

留饮者，胁下痛引缺盆，咳嗽则辄已（一作转甚）。

邹鉴：见桂林古本《伤寒杂病论·辨咳嗽水饮黄汗历节病脉证并治》。以上两条，原文为一条。原文为“心下有留饮，其人必背寒冷如掌大，咳则胁下痛引缺盆”。

胸中有留饮，其人短气而渴，四肢历节痛。脉沉者，有留饮。

邹鉴：“见桂林古本《伤寒杂病论·辨咳嗽水饮黄汗历节病脉证并治》。“其人短气而渴”原文为“其人必短气而渴”。“脉沉者，有留饮”原文无。

膈上病痰，满喘咳吐，发则寒热，背痛腰疼，目泣自出，其人振振身瞤剧，必有伏饮。

邹鉴：桂林古本《伤寒杂病论》原文无，亦不见于《脉经》。

夫病人饮水多，必暴喘满。凡食少饮多，水停心下。甚者则悸，微者短气。

脉双弦者，寒也，皆大下后善虚。脉偏弦者，饮也。

邹鉴：见桂林古本《伤寒杂病论·辨咳嗽水饮黄汗历节病脉证并治》。以上两条，原文为一条。原文为“夫平人食少饮多，水停心下，久久成病，甚者则悸，微者短气，脉双弦者寒也，脉偏弦者饮也”。

肺饮不弦，但苦喘短气。

支饮亦喘而不能卧，加短气，其脉平也。

病痰饮者，当以温药和之。

邹鉴：以上三条不见于桂林古本《伤寒杂病论》，也不见于《脉经》。

心下有痰饮，胸胁支满，目眩，苓桂术甘汤主之。

茯苓桂枝白术甘草汤方

茯苓（四两）　桂枝　白术（各三两）　甘草（二两）

上四味，以水六升，煮取三升，分温三服，小便则利。

邹鉴：见桂林古本《伤寒杂病论·辨咳嗽水饮黄汗历节病脉证并治》。

“苓桂术甘汤主之”原文为“脉沉弦者，茯苓桂枝白术甘草汤主之”。

“茯苓（四两）　桂枝　白术（各三两）　甘草（二两）”原文为“茯苓四两　桂枝三两　白术三两　甘草二两（炙）”。“煮取三升，分温三服，小便则利”原文为“煮取三升，去滓，分温三服，小便利则愈”。

夫短气有微饮，当从小便去之，苓桂术甘汤主之（方见上）。肾气丸亦主之（方见脚气中）。

病者脉伏，其人欲自利，利反快，虽利，心下续坚满，此为留饮欲去故也，甘遂半夏汤主之。

甘遂半夏汤方

甘遂（大者，三枚）　半夏（十二枚，以水一升，煮取半升，去滓）　芍药（五枚）　甘草［如指大一枚，炙，（一本作无）］

上四味，以水二升，煮取半升，去滓，以蜜半升，和药汁煎取八合，顿服之。

邹鉴：见桂林古本《伤寒杂病论·辨咳嗽水饮黄汗历节病脉证并治》。

“此为留饮欲去故也”原文为“此为留饮”。“苓桂术甘汤主之（方见上）。肾气丸亦主之（方见脚气中）”原文无。

“甘遂（大者，三枚） 半夏（十二枚，以水一升，煮取半升，去滓） 芍药（五枚） 甘草［如指大一枚，炙，（一本作无）］”原文为“甘遂大者三枚 半夏十二枚 芍药五枚 甘草如指大一枚（炙）”。“顿服之”原文为“顿服”。

脉浮而细滑，伤饮。

脉弦数，有寒饮，冬夏难治。

邹鉴：以上两条不见于桂林古本《伤寒杂病论》，也不见于《脉经》。

脉沉而弦者，悬饮内痛。

病悬饮者，十枣汤主之。

十枣汤方

芫花（熬） 甘遂 大戟（各等分）

上三味，捣筛，以水一升五合，先煮肥大枣十枚，取八合，去滓，内药末。强人服一钱匕，羸人服半钱，平旦温服之；不下者，明日更加半钱，得快下后，糜粥自养。

邹鉴：见桂林古本《伤寒杂病论·辨咳嗽水饮黄汗历节病脉证并治》。“病悬饮者”原文为“悬饮内痛，脉沉而弦者”。“十枣汤方”原文为“方见前”。“强人服一钱匕……糜粥自养”原文为“强人服一钱匙，羸人服半钱匙，平旦温服之，不下，明日更加半钱，得快利后，糜粥自养”。

病溢饮者，当发其汗，大青龙汤主之；小青龙汤亦主之。

大青龙汤方

麻黄（六两，去节） 桂枝（二两，去皮） 甘草（二两，炙） 杏仁（四十个，去皮尖） 生姜（三两） 大枣（十二枚） 石膏（如鸡子大，碎）

上七味，以水九升，先煮麻黄，减二升，去上沫，内诸药，煮取三升，去滓，温服一升，取微似汗，汗多者，温粉粉之。

小青龙汤方

麻黄（去节，三两） 芍药（三两） 五味子（半升） 干姜（三两） 甘草（三两，炙） 细辛（三两） 桂枝（三两，去皮） 半夏（半升，汤洗）

上八味，以水一斗，先煮麻黄，减二升，去上沫，内诸药，煮取三升，去滓，温服一升。

邹鉴：见桂林古本《伤寒杂病论·辨咳嗽水饮黄汗历节病脉证并治》。“小青龙汤亦主之”原文为“小青龙汤亦主之（方见前）”。

大青龙汤方：“生姜三两”原文为“生姜三两（切）”。“大枣十二枚”原文为“大枣十二枚（劈）”。“取微似汗，汗多者，温粉粉之”原文为“覆取微似汗，不汗再服”。

膈间支饮，其人喘满，心下痞坚，面色黧黑，其脉沉紧，得之数十日，医吐下之不愈，木防己汤主之。虚者即愈，实者三日复发，复与不愈者，宜木防己汤去石膏加茯苓芒硝汤主之。

木防己汤方

木防己（三两） 石膏（十二枚，如鸡子大） 桂枝（二两） 人参（四两）

上四味，以水六升，煮取二升，分温再服。

木防己去石膏加茯苓芒硝汤方

木防己 桂枝（各二两） 人参 茯苓（各四两） 芒硝（三合）

上五味，以水六升，煮取二升，去滓，内芒硝，再微煎，分温再服，微利则愈。

邹鉴：见桂林古本《伤寒杂病论·辨咳嗽水饮黄汗历节病脉证并治》。“医吐下之不愈”原文为“医吐下之不愈者”。“虚者即愈，实者三日复发，复与不愈者，宜木防己汤去石膏加茯苓芒硝汤主之”原文为“不差，木防己去石膏加茯苓芒硝汤主之”。

木防己汤方：“石膏（十二枚，如鸡子大）”原文为“石膏鸡子大十二枚”。“煮取二升”原文为“煮取二升，去滓”。

木防己去石膏加茯苓芒硝汤方：“上五味”原文为“右四味”。

心下有支饮，其人苦冒眩，泽泻汤主之。

泽泻汤方

泽泻（五两） 白术（二两）

上二味，以水二升，煮取一升，分温再服。

邹鉴：见桂林古本《伤寒杂病论·辨咳嗽水饮黄汗历节病脉证并治》。原文同。

支饮胸满者，厚朴大黄汤主之。

厚朴大黄汤方

厚朴（一尺） 大黄（六两） 枳实（四枚）

上三味，以水五升，煮取二升，分温再服。

邹鉴：见桂林古本《伤寒杂病论·辨咳嗽水饮黄汗历节病脉证并治》。“厚朴一尺 大黄（六两）”原文为“厚朴八两 大黄四两”。“上三味，以水五升，煮取二升，分温再服”原文为“右二味，以水五升，煮取二升，去滓，温服一升，不差再服”。原文无“枳实（四枚）”。

支饮不得息，葶苈大枣泻肺汤主之。（方见肺痈中）

邹鉴：见桂林古本《伤寒杂病论·辨咳嗽水饮黄汗历节病脉证并治》。“方见肺痈中”原文为“方见前”。

呕家本渴，渴者为欲解；今反不渴，心下有支饮故也，小半夏汤主之。（《千金》云：小半夏加茯苓汤）。

小半夏汤方

半夏（一升） 生姜（半斤）

上二味，以水七升，煮取一升半，分温再服。

邹鉴：见桂林古本《伤寒杂病论·辨咳嗽水饮黄汗历节病脉证并治》。原文为“支饮，口不渴，作呕者，或吐水者，小半夏汤主之”。“煮取一升半”原文为“煮取一升半，去滓”。

腹满，口舌干燥，此肠间有水气，己椒苈黄丸主之。

防己椒目葶苈大黄丸方

防己 椒目 葶苈（熬） 大黄（各一两）

上四味，末之，蜜丸如梧子大，先食饮服一丸，日三服，稍增，口中有津液。渴者，加芒硝半两。

邹鉴：见桂林古本《伤寒杂病论·辨咳嗽水饮黄汗历节病脉证并治》。“此肠间有水气，己椒苈黄丸主之”原文为“肠间有水气者，防己椒目葶苈大黄丸主之”。“葶苈（熬）”原文为“葶苈”。“末之，蜜丸如梧子大，先食饮服一丸，日三服，稍增，口中有津液。渴者，加芒硝半两”原文为“捣筛，炼蜜为丸，如梧桐子大，先食，饮服一丸，日三服，不知稍增”。

卒呕吐，心下痞，膈间有水，眩悸者，小半夏加茯苓汤主之。

小半夏加茯苓汤方

半夏（一升）　生姜（半斤）　茯苓（三两，一法四两）

上三味，以水七升，煮取一升五合，分温再服。

邹鉴：见桂林古本《伤寒杂病论·辨咳嗽水饮黄汗历节病脉证并治》。原文为“膈间有水气，呕、吐、眩、悸者，小半夏加茯苓汤主之”。“茯苓（三两，一法四两）”原文为“茯苓（四两）”。“煮取一升五合，分温再服”原文为“煮取二升，去滓，分温再服”。

假令瘦人，脐下有悸，吐涎沫而癫眩，此水也，五苓散主之。

五苓散方

泽泻（一两一分）　猪苓（三分，去皮）　茯苓（三分）　白术（三分）　桂（二分，去皮）

上五味，为末，白饮服方寸匕，日三服，多饮暖水，汗出愈。

邹鉴：见桂林古本《伤寒杂病论·辨咳嗽水饮黄汗历节病脉证并治》。原文：“病人脐下悸，吐涎沫而头眩者，此有水也，五苓散主之。”

“泽泻（一两一分）　猪苓（三分，去皮）　茯苓（三分）　白术（三分）　桂（二分，去皮）”原文为“猪苓十八铢（去皮）　泽泻一两六铢　白术十八铢　茯苓十八铢　桂枝半两”。“上五味，为末，白饮服方寸匕，日三服，多饮暖水，汗出愈”原文为“右五味，捣为散，以白饮和方寸匙，日三服，多饮暖水，汗出愈，如法将息”。

附方

《外台》茯苓饮　治心胸中有停痰宿水，自吐出水后，心胸间虚气，满不能食，消痰气，令能食。

茯苓　人参　白术（各三两）　枳实（二两）　橘皮（二两半）　生姜（四两）

上六味，水六升，煮取一升八合，分温三服，如人行八九里进之。

咳家，其脉弦，为有水，十枣汤主之。（方见上）

邹鉴：见桂林古本《伤寒杂病论·辨咳嗽水饮黄汗历节病脉证并治》。“其脉弦，为有水”原文为“其脉弦者，此为有水”。“方见上”原文为“十枣汤方：芫花（熬）　甘遂　大戟各等分　右三味，捣筛，以水一升五

合，先煮肥大枣十枚，取八合，去滓，纳药末，强人服一钱匙，羸人服半钱匙，平旦温服之，不下，明日更加半钱，得快利后，糜粥自养”。

夫有支饮家，咳烦，胸中痛者，不卒死，至一百日或一岁，宜十枣汤。(方见上)

邹鉴：桂林古本《伤寒杂病论》原文无，见《脉经·平肺痿肺痈咳逆上气淡饮脉证第十五》。《脉经》云：“夫有支饮家，咳烦，胸中痛者，不猝死，至一百日或一岁，可与十枣汤。”

久咳数岁，其脉弱者，可治；实大数者，死。其脉虚者，必苦冒，其人本有支饮在胸中故也，治属饮家。

邹鉴：桂林古本《伤寒杂病论》原文无。见《脉经·平肺痿肺痈咳逆上气淡饮脉证第十五》。《脉经》云：“久咳数岁，其脉弱者，可治；实大数者，不可治。其脉虚者，必苦冒，其人本有支饮在胸中故也，治属饮家。”

咳逆，倚息不得卧，小青龙汤主之。(方见上及肺痈中)

邹鉴：见桂林古本《伤寒杂病论·辨咳嗽水饮黄汗历节病脉证并治》。“倚息不得卧”原文为“倚息，不得卧，脉浮弦者”。

“方见上及肺痈中”原文为“小青龙汤方：麻黄三两　甘草三两（炙）　桂枝三两　芍药三两　五味子半升　干姜三两　半夏半升　细辛三两　右八味，以水一斗，先煮麻黄，减二升，去上沫，纳诸药，煮取三升，去滓，分温三服”。

青龙汤下已，多唾口燥，寸脉沉，尺脉微，手足厥逆，气从小腹上冲胸咽，手足痹，其面翕热如醉状，因复下流阴股，小便难，时复冒者，与茯苓桂枝五味子甘草汤，治其气冲。

桂苓五味甘草汤方

茯苓（四两）　桂枝（四两，去皮）　甘草（炙，三两）　五味子（半升）

上四味，以水八升，煮取三升，去滓，分三温服。

冲气即低，而反更咳，胸满者，用桂苓五味甘草汤，去桂加干姜、细辛，以治其咳满。

苓甘五味姜辛汤方

茯苓（四两）　甘草　干姜　细辛（各三两）　五味子（半升）

上五味，以水八升，煮取三升，去滓，温服半升，日三服。

咳满即止，而更复渴，冲气复发者，以细辛、干姜为热药也。服之当遂渴，而渴反止者，为支饮也。支饮者，法当冒，冒者必呕，呕者复内半夏，以去其水。

桂苓五味甘草去桂加干姜细辛半夏汤方

茯苓（四两） 甘草 细辛 干姜（各二两） 五味子 半夏（各半升）

上六味，以水八升，煮取三升，去滓，温服半升，日三服。

水去呕止，其人形肿者，加杏仁主之。其证应内麻黄，以其人遂痹，故不内之。若逆而内之者，必厥。所以然者，以其人血虚，麻黄发其阳故也。

苓甘五味加姜辛半夏杏仁汤方

茯苓（四两） 甘草（三两） 五味子（半升） 干姜（三两） 细辛（三两） 半夏（半升） 杏仁（半升，去皮尖）

上七味，以水一斗，煮取三升，去滓，温服半升，日三服。

若面热如醉，此为胃热上冲，熏其面，加大黄以利之。

苓甘五味加姜辛半杏大黄汤方

茯苓（四两） 甘草（三两） 五味子（半升） 干姜（三两） 细辛（三两） 半夏（半升） 杏仁（半升） 大黄（三两）

上八味，以水一斗，煮取三升，去滓，温服半升，日三服。

先渴后呕，为水停心下，此属饮家，小半夏茯苓汤主之。（方见上）

消渴小便不利淋病脉证并治第十三

脉证九条 方六首

邹鉴：桂林古本《伤寒杂病论》无此篇，为王叔和整理添加。

厥阴之为病，消渴，气上冲心，心中疼热，饥而不欲食，食即吐，下之不肯止。

邹鉴：见桂林古本《伤寒杂病论·辨厥阴病脉证并治》。“气上冲心”原文为“气上撞心”。“食即吐，下之不肯止”原文为“食则吐蛔，下之，利不止”。

寸口脉浮而迟，浮即为虚，迟即为劳，虚则卫气不足，劳则荣气竭。

邹鉴：见桂林古本《伤寒杂病论·辨厥阴病脉证并治》。“浮即为虚，迟即为劳”原文为“浮则为虚，迟则为劳”。

趺阳脉浮而数，浮即为气，数即为消谷而大坚（一作紧）。气盛则溲数，溲数即坚，坚数相搏，即为消渴。

邹鉴：见桂林古本《伤寒杂病论·辨厥阴病脉证并治》。“浮即为气”原文为“浮则为气”。“数即为消谷而大坚（一作紧）”原文为“数则消谷而大坚”。“溲数即坚”原文为“溲数则坚”。

男子消渴，小便反多，以饮一斗，小便一斗，肾气丸主之（方见脚气中）。

邹鉴：见桂林古本《伤寒杂病论·辨厥阴病脉证并治》。“男子消渴”原文为“消渴”。“小便反多，以饮一斗，小便一斗”原文为“小便多，饮一斗，小便亦一斗者”。

“方见脚气中”原文为“肾气丸方：地黄八两　薯蓣四两　山茱萸四两　泽泻三两　牡丹皮三两　茯苓三两　桂枝一两　附子一枚（炮）　右八味，末之，炼蜜和丸，如梧子大，酒下十五丸，渐加至二十五丸，日再服，白饮下亦可”。

脉浮，小便不利，微热消渴者，宜利小便、发汗，五苓散主之（方见上）。

邹鉴：见桂林古本《伤寒杂病论·辨厥阴病脉证并治》。原文为：“消渴，脉浮有微热，小便不利者，五苓散主之。”

“方见上”原文为“五苓散方：猪苓十八铢（去皮）　泽泻一两六铢　白术十八铢　茯苓十八铢　桂枝半两　右五味，为末，以白饮和服方寸匙，日三服，多饮暖水，汗出愈”。

渴欲饮水，水入则吐者，名曰水逆，五苓散主之（方见上）。

邹鉴：见桂林古本《伤寒杂病论·辨太阳病脉证并治中》。原文为：“中风发热，六七日不解而烦，有表里证，渴欲饮水，水入则吐者，名曰水逆，五苓散主之。（方见上）”

渴欲饮水不止者，文蛤散主之。

文蛤散方

文蛤（五两）

上一味，杵为散，以沸汤五合，和服方寸匕。

邹鉴：见桂林古本《伤寒杂病论·辨厥阴病脉证并治》。原文为：“消渴，欲得水而食饮不休者，文蛤汤主之。”

“文蛤（五两）”原文为“文蛤五两　麻黄三两　甘草三两　生姜三两　石膏五两　杏仁五十枚　大枣十二枚”。“上一味，杵为散，以沸汤五合，和服方寸匕”原文为“右七味，以水六升，煮取二升，去滓，温服一升，汗出即愈，若不汗，再服”。

淋之为病，小便如粟状，小腹弦急，痛引脐中。

邹鉴：见桂林古本《伤寒杂病论·辨厥阴病脉证并治》。原文为：“小便痛閟，下如粟状，少腹弦急，痛引脐中，其名曰淋，此热结在下焦也，小柴胡加茯苓汤主之。”

小柴胡加茯苓汤方

柴胡半斤　黄芩三两　人参二两　半夏半升（洗）　甘草三两　生姜二两（切）　大枣十二枚（劈）　茯苓四两

右八味，以水一斗二升，煮取六升，去滓，再煎，取三升，温服一升，日三服。

趺阳脉数，胃中有热，即消谷引食，大便必坚，小便即数。

邹鉴：桂林古本《伤寒杂病论》不见。见《脉经·平消渴小便利淋脉证第七》。“即消谷引食，大便必坚，小便即数”《脉经》原文为“则消谷引食，大便必坚，小便则数”。

淋家不可发汗，发汗则必便血。

邹鉴：见桂林古本《伤寒杂病论·辨太阳病脉证并治中》。“发汗则必便血”原文为“发汗必便血”。

小便不利者，有水气，其人若渴，栝蒌瞿麦丸主之。

栝蒌瞿麦丸方

栝蒌根（二两）　茯苓　薯蓣（各三两）　附子（一枚，炮）　瞿麦（一两）

上五味，末之，炼蜜丸梧子大，饮服三丸，日三服。不知，增至七八丸，以小便利，腹中温为知。

邹鉴：见桂林古本《伤寒杂病论·辨咳嗽水饮黄汗历节病脉证并治》。原文：“小便不利，其人有水气，若渴者，栝蒌瞿麦薯蓣丸主之。”

栝蒌瞿麦丸方原文为“栝蒌瞿麦薯蓣丸方”。“茯苓　薯蓣（各三两）”

原文为“薯蓣二两　茯苓三两”。“炼蜜丸梧子大，饮服三丸”原文为“炼蜜为丸，如梧桐子大，饮服二丸”。“增至七八丸”原文为“可增至七八丸”。

小便不利，蒲灰散主之，滑石白鱼散、茯苓戎盐汤并主之。

蒲灰散方

蒲灰（七分）　滑石（三分）

上二味，杵为散，饮服方寸匕，日三服。

滑石白鱼散方

滑石（二分）　乱发（二分，烧）　白鱼（二分）

上三味，杵为散，饮服半钱匕，日三服。

茯苓戎盐汤方

茯苓（半斤）　白术（二两）　戎盐（弹丸大，一枚）

上三味，先将茯苓、白术煎成，入戎盐，再煎，分温三服。

邹鉴：见桂林古本《伤寒杂病论·辨咳嗽水饮黄汗历节病脉证并治》。原文：“小便不利，其人有水气在血分者，滑石乱发白鱼散主之；茯苓白术戎盐汤亦主之。”

“蒲灰散方”原文无。

“滑石白鱼散方”原文为“滑石乱发白鱼散方”。“滑石（二分）　乱发（二分，烧）　白鱼（二分）”原文为“滑石一斤　乱发一斤（烧）　白鱼一斤”。“饮服半钱匕”原文为“饮服方寸匙”。

“茯苓戎盐汤方”原文为“茯苓白术戎盐汤方”。“戎盐（弹丸大，一枚）”原文为“戎盐二枚（弹丸大）”。“上三味，先将茯苓、白术煎成，入戎盐，再煎，分温三服”原文为“右三味，先以水一斗，煮二味，取三升，去滓，纳戎盐，更上微火一二沸化之，分温三服”。

渴欲饮水，口干舌燥者，白虎加人参汤主之（方见中暍中）。

邹鉴：见桂林古本《伤寒杂病论·辨阳明病脉证并治》。原文为：“阳明病，渴欲饮水，口干舌燥者，白虎加人参汤主之。”

白虎加人参汤方

知母六两　石膏一斤（碎）　甘草二两（炙）　粳米六合　人参三两

右五味，以水一斗，煮米熟，汤成去滓，温服一升，日三服。

脉浮，发热，渴欲饮水，小便不利者，猪苓汤主之。

猪苓汤方

猪苓（去皮）　茯苓　阿胶　滑石　泽泻（各一两）

上五味，以水四升，先煮四味，取二升，去滓，内胶烊消，温服七合，日三服。

邹鉴：见桂林古本《伤寒杂病论·辨阳明病脉证并治》。原文为："阳明病，脉浮，发热，渴欲饮水，小便不利者，猪苓汤主之。"

"猪苓（去皮）　茯苓　阿胶　滑石　泽泻（各一两）"原文为"猪苓一两（去皮）　茯苓一两　泽泻一两　阿胶一两　滑石一两（碎）"。"内胶烊消"原文为"纳阿胶烊消"。

水气病脉证并治第十四

论七首　脉证五条　方八首

邹鉴：原文无此篇，见于桂林古本《伤寒杂病论·辨咳嗽水饮黄汗历节病脉证并治》。

师曰：病有风水、有皮水、有正水、有石水、有黄汗。

风水，其脉自浮，外证骨节疼痛，恶风；皮水，其脉亦浮，外证胕肿，按之没指，不恶风，其腹如鼓，不渴，当发其汗；正水，其脉沉迟，外证自喘；石水，其脉自沉，外证腹满不喘；黄汗，其脉沉迟，身发热，胸满，四肢头面肿，久不愈，必致痈脓。

邹鉴：见桂林古本《伤寒杂病论·辨咳嗽水饮黄汗历节病脉证并治》。文中四处"外证"皆为"其证"。"其腹如鼓"原文为"腹如鼓"。"外证自喘"原文为"其证为喘"。"外证腹满不喘"原文为"其证腹满不喘，当利其小便"。"身发热"原文为"其证发热"。

脉浮而洪，浮则为风，洪则为气，风气相搏，风强则为隐疹，身体为痒，痒为泄风，久为痂癞。气强则为水，难以俯仰。风气相击，身体洪肿，汗出乃愈，恶风则虚，此为风水。不恶风者，小便通利，上焦有寒，其口多涎，此为黄汗。

邹鉴：见桂林古本《伤寒杂病论·辨咳嗽水饮黄汗历节病脉证并治》。“风强则为隐疹”原文为“风强则为瘾疹”。“痒为泄风”原文为“痒者为泻风”。“风气相击”原文无此语。

寸口脉沉滑者，中有水气，面目肿大，有热，名曰风水。视人之目窠上微拥，如蚕新卧起状，其颈脉动，时时咳，按其手足上，陷而不起者，风水。

邹鉴：见桂林古本《伤寒杂病论·辨咳嗽水饮黄汗历节病脉证并治》。“视人之目窠上微拥”原文为“其人之目窠上微肿”。“风水”原文为“亦曰风水”。

太阳病，脉浮而紧，法当骨节疼痛，反不疼，身体反重而酸，其人不渴，汗出即愈，此为风水。恶寒者，此为极虚，发汗得之。渴而不恶寒者，此为皮水。身肿而冷，状如周痹，胸中窒，不能食，反聚痛，暮躁不得眠，此为黄汗，痛在骨节。咳而喘，不渴者，此为肺胀，其状如肿，发汗即愈。然诸病此者，渴而下利，小便数者，皆不可发汗。

邹鉴：见桂林古本《伤寒杂病论·辨咳嗽水饮黄汗历节病脉证并治》。“反不疼，身体反重而酸，其人不渴，汗出即愈，此为风水。恶寒者，此为极虚，发汗得之”原文为“今反不痛，体重而酸，其人不渴，此为风水，汗出即愈，恶寒者此为极虚，发汗得之”。“暮躁不得眠”原文为“躁不得眠”。“此为肺胀”原文为“此为正水”。“发汗即愈”原文为“发汗则愈”。“渴而下利，小便数者，皆不可发汗”原文为“若渴而下利，小便数者，皆不可发汗，但当利其小便”。

里水者，一身面目黄肿，其脉沉，小便不利，故令病水。假如小便自利，此亡津液，故令渴也，越婢加术汤主之（方见下）。

邹鉴：见桂林古本《伤寒杂病论·辨咳嗽水饮黄汗历节病脉证并治》。“里水者”原文为“里水”。“故令病水。假如小便自利，此亡津液，故令渴也，越婢加术汤主之（方见下）”原文为“甘草麻黄汤主之；越婢加术汤亦主之”。

甘草麻黄汤方

甘草（二两）　麻黄（四两）

右二味，以水五升，先煮麻黄，去上沫，纳甘草，煮取三升，去滓，温服一升，复令汗出，不汗再服。

越婢加术汤方

麻黄六两　石膏半斤　甘草二两（炙）　生姜三两　大枣十五枚　白术四两

右六味，以水六升，先煮麻黄，去上沫，纳诸药，煮取三升，分温三服。

趺阳脉当伏，今反紧，本自有寒，疝，瘕，腹中痛，医反下之，下之即胸满短气。

趺阳脉当伏，今反数，本自有热，消谷，小便数，今反不利，此欲作水。

寸口脉浮而迟，浮脉则热，迟脉则潜，热潜相搏，名曰沉。趺阳脉浮而数，浮脉即热，数脉即止，热止相搏，名曰伏。沉伏相搏，名曰水。沉则络脉虚，伏则小便难，虚难相搏，水走皮肤，即为水矣。

寸口脉弦而紧，弦则卫气不行，即恶寒，水不沾流，走于肠间。

少阴脉紧而沉，紧则为痛，沉则为水，小便即难。

脉得诸沉，当责有水，身体肿重。水病脉出者死。

夫水病人，目下有卧蚕，面目鲜泽，脉伏，其人消渴。病水腹大，小便不利，其脉沉绝者，有水，可下之。

问曰：病下利后，渴饮水，小便不利，腹满阴肿者，何也？答曰：此法当病水，若小便自利及汗出者，自当愈。

邹鉴：以上八条，不见于桂林古本《伤寒杂病论》，见《脉经·卷八·平水气黄汗气分脉证第八》。

心水者，其身重而少气，不得卧，烦而躁，其人阴肿。

肝水者，其腹大，不能自转侧，胁下腹痛，时时津液微生，小便续通。

肺水者，其身肿，小便难，时时鸭溏。

脾水者，其腹大，四肢苦重，津液不生，但苦少气，小便难。

肾水者，其腹大，脐肿腰痛，不得溺，阴下湿如牛鼻上汗，其足逆冷，面反瘦。

邹鉴：见桂林古本《伤寒杂病论·辨咳嗽水饮黄汗历节病脉证并治》。

“心水者”原文为“心水为病”。“烦而躁，其人阴肿”原文为“烦躁，阴肿”。

“肝水者”原文为“肝水为病”。“胁下腹痛，时时津液微生”原文为“胁下痛，津液微生”。

“肺水者”原文为“肺水为病”。

“脾水者”原文为“脾水为病”。

“肾水者”原文为“肾水为病”。

师曰：诸有水者，腰以下肿，当利小便；腰以上肿，当发汗乃愈。

邹鉴：见桂林古本《伤寒杂病论·辨咳嗽水饮黄汗历节病脉证并治》。“师曰”原文无。

师曰：寸口脉沉而迟，沉则为水，迟则为寒，寒水相搏，趺阳脉伏，水谷不化，脾气衰则鹜溏，胃气衰则身肿。

邹鉴：见桂林古本《伤寒杂病论·辨咳嗽水饮黄汗历节病脉证并治》。“师曰”原文无。“趺阳脉伏，水谷不化”原文无。“脾气衰则鹜溏，胃气衰则身肿”原文为“脾气衰则鹜溏，胃气衰则身肿，名曰水分”。

少阳脉卑，少阴脉细，男子则小便不利，妇人则经水不通。经为血，血不利则为水，名曰血分。

邹鉴：见桂林古本《伤寒杂病论·辨咳嗽水饮黄汗历节病脉证并治》。“妇人则经水不通”原文为“妇人则经水不利”。“经为血，血不利则为水”原文无。

师曰：寸口脉沉而数，数则为出，沉则为入，出则为阳实，入则为阴结。趺阳脉微而弦，微则无胃气，弦则不得息。少阴脉沉而滑，沉则为在里，滑则为实，沉滑相搏，血结胞门，其藏不泻，经络不通，名曰血分。

邹鉴：见桂林古本《伤寒杂病论·辨咳嗽水饮黄汗历节病脉证并治》。“师曰”原文无。“出则为阳实，入则为阴结”原文为“出为阳实，入为阴结”。“沉则为在里”原文为“沉为在里”。“其藏不泻”原文为“其瘕不泻”。

问曰：病有血分，水分，何也？师曰：经水前断，后病水，名曰血分，此病难治；先病水，后经断水，名曰水分，此病易治。何以故？去水，其经自下。

邹鉴：见桂林古本《伤寒杂病论·辨咳嗽水饮黄汗历节病脉证并治》。原文为：“妇人经水，前断后病水者，名曰血分，此病难治；先病水，后经水断，名曰水分，此病易治，水去则经自下也。”

问曰：病者苦水，面目身体四肢皆肿，小便不利，脉之，不言水，反言胸中痛，气上冲咽，状如炙肉，当微咳喘，审如师言，其脉何类？

师曰：寸口脉沉而紧，沉为水，紧为寒，沉紧相搏，结在关元，始时当微，年盛不觉，阳衰之后，荣卫相干，阳损阴盛，结寒微动，肾气上冲，喉咽塞噎，胁下急痛。医以为留饮而大下之，气击不去，其病不除。后重吐之，胃家虚烦，咽燥欲饮水，小便不利，水谷不化，面目手足浮肿。又与葶苈丸下水，当时如小差，食饮过度，肿复如前，胸胁苦痛，象若奔豚，其水扬溢，则浮咳喘逆。当先攻击冲气，令止，乃治咳；咳止，其喘自差。先治新病，病当在后。

邹鉴：见桂林古本《伤寒杂病论·辨咳嗽水饮黄汗历节病脉证并治》。“面目身体四肢皆肿”原文为“面目身体皆肿，四肢亦肿”。“当微咳喘”原文为“当感咳喘”。“始时当微”原文为“始时尚微”。“喉咽塞噎”原文为“咽喉塞噎”。“气击不去”原文为“沉紧不去”。“后重吐之”原文为“复重吐之”。“又与葶苈丸下水”原文为“又与葶苈下水”。“则浮咳喘逆”原文为“则咳喘逆”。“乃治咳；咳止，其喘自差”原文为“乃治其咳；咳止，喘自差”。“病当在后”原文为“水当在后”。

风水，脉浮身重，汗出恶风者，防己黄芪汤主之。腹痛加芍药。

防己黄芪汤方（方见湿病中）

邹鉴：见桂林古本《伤寒杂病论·辨咳嗽水饮黄汗历节病脉证并治》。“腹痛加芍药”原文无。

防己黄芪汤方

防己一两　甘草五钱（炙）　白术七钱半　黄芪一两

右四味，剉如麻豆大，每抄五钱匙，生姜四片，大枣一枚，水一升半，煮取八合，去滓，温服；喘者，加麻黄五钱；胃中不和者，加芍药三分；气上冲者，加桂枝三分；下有陈寒者，加细辛三分；服后当如虫行皮中，从腰下如冰，后坐被上，又以一被绕腰下，温令有微汗差。

风水，恶风，一身悉肿，脉浮不渴，续自汗出，无大热，越婢汤主之。

越婢汤方

麻黄（六两）　石膏（半斤）　生姜（三两）　大枣（十五枚）　甘草（二两）

上五味，以水六升，先煮麻黄，去上沫，内诸药，煮取三升，分温三服。恶风者，加附子一枚，炮；风水加术四两。（《古今录验》）

邹鉴：见桂林古本《伤寒杂病论·辨咳嗽水饮黄汗历节病脉证并治》。“无大热”原文为“无大热者”。“大枣（十五枚）”原文为“大枣十二枚”。

“内诸药，煮取三升，分温三服”原文为“纳诸药，煮取三升，去滓，分温三服”。

“恶风者，加附子一枚，炮；风水加术四两。(《古今录验》)”原文无。

皮水为病，四肢肿，水气在皮肤中，四肢聂聂动者，防己茯苓汤主之。

防己茯苓汤方

防己（三两） 黄芪（三两） 桂枝（三两） 茯苓（六两） 甘草（二两）

上五味，以水六升，煮取二升，分温三服。

邹鉴：见桂林古本《伤寒杂病论·辨咳嗽水饮黄汗历节病脉证并治》。“皮水为病”原文为“皮水”。“甘草（二两）”原文为“甘草二两（炙）”。“煮取二升”原文为“煮取三升”。

里水，越婢加术汤主之；甘草麻黄汤亦主之。

越婢加术汤方（见上于内加白术四两，又见脚气中）

甘草麻黄汤方

甘草（二两） 麻黄（四两）

上二味，以水五升，先煮麻黄，去上沫，内甘草，煮取三升，温服一升，重覆汗出，不汗，再服。慎风寒。

邹鉴：见桂林古本《伤寒杂病论·辨咳嗽水饮黄汗历节病脉证并治》。原文为：“里水，一身面目黄肿，其脉沉，小便不利，甘草麻黄汤主之；越婢加术汤亦主之。”

甘草麻黄汤方用法：“内甘草，煮取三升，温服一升，重覆汗出，不汗，再服。慎风寒”原文为“纳甘草，煮取三升，去滓，温服一升，复令汗出，不汗再服”。

越婢加术汤方

麻黄六两 石膏半斤 甘草二两（炙） 生姜三两 大枣十五枚 白术四两

右六味，以水六升，先煮麻黄，去上沫，纳诸药，煮取三升，分温三服。

水之为病，其脉沉小，属少阴；浮者为风；无水虚胀者，为气。水，发其汗即已，脉沉者，宜麻黄附子汤；浮者，宜杏子汤。

麻黄附子汤方

麻黄（三两） 甘草（二两） 附子（一枚，炮）

上三味，以水七升，先煮麻黄，去上沫，内诸药，煮取二升半，温服八分，日三服。

杏子汤方（未见，恐是麻黄杏仁甘草石膏汤）

邹鉴：见桂林古本《伤寒杂病论·辨咳嗽水饮黄汗历节病脉证并治》。原文为："水之为病，其脉沉小者，属少阴为石水；沉迟者，属少阴为正水；浮而恶风者，为风水，属太阳；浮而不恶风者，为皮水，属太阳；虚肿者，属气分，发其汗即已，脉沉者，麻黄附子甘草汤主之；脉浮者，麻黄加术汤主之。"

麻黄附子甘草汤方

麻黄二两 附子一枚（炮） 甘草二两（炙）

右三味，以水七升，先煮麻黄，去上沫，纳诸药，煮取三升，去滓，分温三服。

麻黄加术汤方

麻黄三两 桂枝二两 杏仁七十个 甘草一两（炙） 白术四两

右五味，以水九升，先煮麻黄，减二升，去上沫，纳诸药，煮二升半，去滓，温服八合，覆取微汗，不汗再服，得汗停后服。

厥而皮水者，蒲灰散主之（方见消渴中）。

邹鉴：此条不见于桂林古本《伤寒杂病论》，也不见于《脉经》。

问曰：黄汗之为病，身体肿（一作重），发热汗出而渴，状如风水，汗沾衣，色正黄如柏汁，脉自沉，何从得之？师曰：以汗出入水中浴，水从汗孔入得之，宜芪芍桂酒汤主之。

黄芪芍药桂枝苦酒汤方

黄芪（五两） 芍药（三两） 桂枝（三两）

上三味，以苦酒一升，水七升，相和，煮取三升，温服一升，当心烦，服至六七日乃解；若心烦不止者，以苦酒阻故也（一方用美酒醯代苦酒）。

邹鉴：见桂林古本《伤寒杂病论·辨咳嗽水饮黄汗历节病脉证并治》。"身体肿（一作重），发热汗出而渴"原文为"身体肿，若重汗出而发热口渴”。“何从得之”原文为“从何得之?”“宜芪芍桂酒汤主之”原文为“宜黄芪芍药桂枝汤”。

“黄芪芍药桂枝苦酒汤方”原文为“黄芪芍药桂枝汤方”。“相和”原文为“相合”。

“煮取三升，温服一升”原文为“煮取三升，去滓，温服一升”。“以苦酒阻故也（一方用美酒醢代苦酒）”原文为“以苦酒阻故也，以美酒醢易之”。

黄汗之病，两胫自冷；假令发热，此属历节。食已汗出，又身常暮卧盗汗出者，此劳气也。若汗出已反发热者，久久其身必甲错；发热不止者，必生恶疮。若身重，汗出已辄轻者，久久必身瞤。瞤即胸中痛，又从腰以上必汗出，下无汗，腰髋弛痛，如有物在皮中状，剧者不能食，身疼重，烦躁，小便不利，此为黄汗，桂枝加黄芪汤主之。

桂枝加黄芪汤方

桂枝　芍药（各三两）　甘草（二两）　生姜（三两）　大枣（十二枚）　黄芪（二两）

上六味，以水八升，煮取三升，温服一升，须臾饮热稀粥一升余，以助药力，温服取微汗；若不汗，更取。

邹鉴：见桂林古本《伤寒杂病论·辨咳嗽水饮黄汗历节病脉证并治》。“又身常暮卧盗汗出者，此劳气也”原文为“暮常盗汗，此荣气热也”。“久久其身必甲错”原文为“久久身必甲错”。“发热不止者，必生恶疮”原文为“若发热不止者，久久必生恶疮”。“汗出已辄轻者”原文为“汗出已辙，轻者”。“久久必身瞤”原文为“久久身必瞤”。“瞤即胸中痛，又从腰以上必汗出，下无汗”原文为“瞤即胸痛；又从腰以上汗出，以下无汗”。“剧者不能食”原文为“剧则不能食”。“甘草（二两）”原文为“甘草二两（炙）”，“生姜（三两）”原文为“生姜三两（切）”，“大枣（十二枚）”原文为“大枣十五枚”。“煮取三升，温服一升……”原文为“煮取三升，去滓，温服一升，日三服”。

师曰：寸口脉迟而涩，迟则为寒，涩为血不足。趺阳脉微而迟，微则为气，迟则为寒，寒气不足，则手足逆冷；手足逆冷，则荣卫不利；荣卫不利，则腹满肠鸣相逐，气转膀胱，荣卫俱劳；阳气不通，即身冷，阴气不通，即骨疼；阳前通，则恶寒，阴前通，则痹不仁；阴阳相得，其气乃行，大气一转，其气乃散；实则失气，虚则遗尿，名曰气分。

邹鉴：见桂林古本《伤寒杂病论·辨咳嗽水饮黄汗历节病脉证并治》。“寒气不足”原文为“胃气不足”。“手足逆冷，则荣卫不利”原文无，为王叔和增加。“其气乃散”原文为“寒气乃散”。“虚则遗尿”原文为“虚则遗溺”。

气分，心下坚大如盘，边如旋杯，水饮所作。桂枝去芍药加麻辛附子汤主之。

桂枝去芍药加麻黄细辛附子汤方

桂枝（三两） 生姜（三两） 甘草（二两） 大枣（十二枚） 麻黄 细辛（各二两） 附于（一枚，炮）

上七味，以水七升，煮麻黄，去上沫，内诸药，煮取二升，分温三服，当汗出，如虫行皮中，即愈。

邹鉴：见桂林古本《伤寒杂病论·辨咳嗽水饮黄汗历节病脉证并治》。“水饮所作”原文无，为王叔和增加。“桂枝去芍药加麻辛附子汤主之”原文为“桂枝甘草麻黄生姜大枣细辛附子汤主之”。

“桂枝去芍药加麻黄细辛附子汤方”原文为“桂枝甘草麻黄生姜大枣细辛附子汤方”。

“桂枝（三两） 生姜（三两） 甘草（二两） 大枣（十二枚） 麻黄 细辛（各二两） 附于（一枚，炮）”原文为“桂枝三两 甘草二两（炙） 麻黄二两 生姜二两（切） 大枣十二枚 细辛三两 附子一枚（炮）”。“煮麻黄，去上沫，内诸药，煮取二升，分温三服，当汗出，如虫行皮中，即愈”原文为“先煮麻黄去沫，纳诸药，煮取三升，分温三服，汗出即愈”。

心下坚大如盘，边如旋盘，水饮所作，枳术汤主之。

枳术汤方

枳实（七枚） 白术（二两）

上二味，以水五升，煮取三升，分温三服，腹中软，即当散也。

邹鉴：见桂林古本《伤寒杂病论·辨咳嗽水饮黄汗历节病脉证并治》。原文为：“水饮，心下坚，大如盘，边如旋杯，枳实白术汤主之。”

“枳术汤方”原文为“枳实白术汤方”。“煮取三升，分温三服，腹中软，即当散也”原文为“煮取三升，去滓，分温三服”。

附方

《外台》防己黄芪汤 治风水，脉浮为在表，其人或头汗出，表无他病，病者但下重，从腰以上为和，腰以下当肿及阴，难以屈伸（方见风湿中）。

黄疸病脉证并治第十五

论二首 脉证十四条 方七首

邹鉴：仲景桂林古本《伤寒杂病论》没有单列黄疸病脉证并治，篇题为王叔和所增加。

寸口脉浮而缓，浮则为风，缓则为痹。痹非中风，四肢苦烦，脾色必黄，瘀热以行。

趺阳脉紧而数，数则为热，热则消谷，紧则为寒，食即为满。尺脉浮为伤肾，趺阳脉紧为伤脾。风寒相搏，食谷即眩，谷气不消，胃中苦浊，浊气下流，小便不通，阴被其寒，热流膀胱，身体尽黄，名曰谷疸。

邹鉴：此条桂林古本《伤寒杂病论》无，为王叔和所加，见于《脉经》。《脉经·卷八·平黄疸寒热疟脉证第九》云：“趺阳脉紧而数，数则为热，热则消谷，紧则为寒，食即满也。尺脉浮为伤肾，趺阳脉紧为伤脾。风寒相搏，食谷则眩，谷气不消，胃中苦浊，浊气下流，小便不通。阴被其寒，热流膀胱，身体尽黄，名曰谷疸。”“尺脉浮为伤肾”亦非仲景所论。

额上黑，微汗出，手足中热，薄暮即发，膀胱急，小便自利，名曰女劳疸；腹如水状不治。

邹鉴：桂林古本《伤寒杂病论》原文无，见《脉经·卷八·平黄疸寒热疟脉证第九》。

心中懊侬而热，不能食，时欲吐，名曰酒疸。

邹鉴：桂林古本《伤寒杂病论·辨阳明病脉证并治》云：“阳明病，身热，发黄，心中懊侬，或热痛，因于酒食者，此名酒疸，栀子大黄汤主之。”

阳明病，脉迟者，食难用饱，饱则发烦头眩，小便必难，此欲作谷疸。

虽下之，腹满如故，所以然者，脉迟故也。

邹鉴：见桂林古本《伤寒杂病论·辨阳明病脉证并治》。“脉迟者”原文为“脉迟”。“饱则发烦头眩”原文为“饱则微烦，头眩”。“小便必难”原文为“必小便难”。

夫病酒黄疸，必小便不利，其候心中热，足下热，是其证也。

邹鉴：桂林古本《伤寒杂病论》原文无，见《脉经·卷八·平黄疸寒热疟脉证第九》。

酒黄疸者，或无热，靖言了了，腹满欲吐，鼻燥，其脉浮者，先吐之；沉弦者，先下之。

邹鉴：桂林古本《伤寒杂病论》原文无，见《脉经·卷八·平黄疸寒热疟脉证第九》。

酒疸，心中热，欲呕者，吐之愈。

邹鉴：桂林古本《伤寒杂病论》原文无，见《脉经·卷八·平黄疸寒热疟脉证第九》。

酒疸下之，久久为黑疸，目青面黑，心中如啖蒜齑状，大便正黑，皮肤爪之不仁，其脉浮弱，虽黑微黄，故知之。

邹鉴：桂林古本《伤寒杂病论》原文无，见《脉经·卷八·平黄疸寒热疟脉证第九》。

师曰：病黄疸，发热烦喘，胸满口燥者，以病发时，火劫其汗，两热所得。然黄家所得，从湿得之。一身尽发热而黄，肚热，热在里，当下之。

邹鉴：桂林古本《伤寒杂病论·辨阳明病脉证并治》云：“伤寒，发汗已，身目为黄，所以然者，以寒湿在里，不解故也，不可汗也，当于寒湿中求之。”

脉沉，渴欲饮水，小便不利者，皆发黄。

邹鉴：见桂林古本《伤寒杂病论·辨阳明病脉证并治》。原文为：“夫病，脉沉，渴欲饮水，小便不利者，后必发黄。”

腹满，舌痿黄，燥不得睡，属黄家。（舌痿疑作身痿）

邹鉴：见桂林古本《伤寒杂病论·辨阳明病脉证并治》。原文为：“阳明病，腹满，小便不利，舌萎黄燥，不得眠者，此属黄家。”

黄疸之病，当以十八日为期，治之十日以上瘥，反剧为难治。

邹鉴：见桂林古本《伤寒杂病论·辨阳明病脉证并治》。“黄疸之病”原文为“黄疸病”。“反剧为难治”原文为“反剧者，为难治”。

疸而渴者，其疸难治；疸而不渴者，其疸可治。发于阴部其人必呕；阳部，其人振寒而发热也。

邹鉴：桂林古本《伤寒杂病论》原文无，见《脉经·卷八·平黄疸寒热疟脉证第九》。

谷疸之为病，寒热不食，食即头眩，心胸不安，久久发黄，为谷疸，茵陈蒿汤主之。

茵陈蒿汤方

茵陈蒿（六两）　栀子（十四枚）　大黄（二两）

上三味，以水一斗，先煮茵陈，减六升，内二味，煮取三升，去滓，分温三服。小便当利，尿如皂角汁状，色正赤，一宿腹减，黄从小便去也。

邹鉴：见桂林古本《伤寒杂病论·辨阳明病脉证并治》。原文为“阳明病，身热，不能食，食即头眩，心胸不安，久久发黄，此名谷疸，茵陈蒿汤主之（方见前）”。

茵陈蒿汤方

茵陈蒿六两　栀子十四枚（劈）　大黄二两（去皮）

右三味，以水一斗二升，先煮茵陈，减六升，纳二味，煮取三升，去滓，分温三服，小便当利，尿如皂荚汁状，色正赤，一宿病减，黄从小便去也。

黄家日晡所发热，而反恶寒，此为女劳得之。膀胱急，少腹满，身尽黄，额上黑，足下热，因作黑疸。其腹胀如水状，大便必黑，时溏，此女劳之病，非水也。腹满者难治。硝石矾石散主之。

硝石矾石散方

硝石　矾石（烧，等分）

上二味，为散，以大麦粥汁，和服方寸匕，日三服。病随大小便去，小便正黄，大便正黑，是候也。

邹鉴：见桂林古本《伤寒杂病论·辨血痹虚劳病脉证并治》。原文为：“女劳，膀胱急，少腹满，身尽黄，额上黑，足下热，其腹胀如水状，大便溏而黑，胸满者，难治，硝石矾石散主之。”

“硝石　矾石（烧，等分）”原文为“硝石（熬黄）　矾石（烧）各等分”。“以大麦粥汁”原文为“大麦粥汁”。“和服方寸匕”原文为“和服方寸匙”。“病随大小便去，小便正黄，大便正黑，是候也”原文为“大便黑，小便黄，是其候也”。

酒黄疸，心中懊侬，或热痛，栀子大黄汤主之。

栀子大黄汤方

栀子（十四枚） 大黄（一两） 枳实（五枚） 豉（一升）

上四味，以水六升，煮取二升，分温三服。

邹鉴：见桂林古本《伤寒杂病论·辨阳明病脉证并治》。原文为：“阳明病，身热，发黄，心中懊侬，或热痛，因于酒食者，此名酒疸，栀子大黄汤主之。”

“煮取二升，分温三服”原文为“煮取三升，去滓，温服一升，日三服”。

诸病黄家，但利其小便。假令脉浮，当以汗解之，宜桂枝加黄芪汤主之。（方见水病中）

邹鉴：见桂林古本《伤寒杂病论·辨阳明病脉证并治》。原文为“诸黄家，但利其小便，五苓散加茵陈蒿主之；假令脉浮，当以汗解者，宜桂枝加黄芪汤（五苓散见前加茵陈蒿十分同末）”。

桂枝加黄芪汤方

桂枝三两 芍药三两 甘草二两（炙） 生姜三两（切） 大枣十五枚 黄芪二两

右六味，以水八升，煮取三升，去滓，温服一升，日三服。

诸黄，猪膏发煎主之。

猪膏发煎方

猪膏（半斤） 乱发（如鸡子大三枚）

上二味，和膏中煎之，发消药成，分再服，病从小便出。

邹鉴：见桂林古本《伤寒杂病论·辨阳明病脉证并治》。原文为：“阳明病，身黄，津液枯燥，色暗不明者，此热入于血分也，猪膏发煎主之。”“和膏中煎之”原文为“和膏煎之”。

黄疸病，茵陈五苓散主之。（一本云茵陈汤及五苓散并主之）。

茵陈五苓散方

茵陈蒿末（十分） 五苓散（五分），（方见痰饮中）。

上二物和，先食饮方寸匕，日三服。

邹鉴：见桂林古本《伤寒杂病论·辨阳明病脉证并治》。原文为“诸黄家，但利其小便，五苓散加茵陈蒿主之”。

黄疸腹满，小便不利而赤，自汗出，此为表和里实，当下之，宜大黄硝石汤。

大黄硝石汤方

大黄 黄柏 硝石（各四两） 栀子（十五枚）

上四味，以水六升，煮取二升，去滓，内硝，更煮取一升，顿服。

邹鉴：见桂林古本《伤寒杂病论·辨阳明病脉证并治》。“大黄 黄柏 硝石（各四两）”原文为“大黄四两 黄柏四两 芒硝四两”。

“煮取二升，去滓，内硝”原文为“先煮三味，取二升，去滓，纳硝”。

黄疸病，小便色不变，欲自利，腹满而喘，不可除热，热除必哕。哕者，小半夏汤主之。（方见痰饮中）

邹鉴：见桂林古本《伤寒杂病论·辨阳明病脉证并治》。“黄疸病”原文为“黄病”。“欲自利，腹满而喘”原文为“自利，腹满而喘者”。“热除必哕”原文为“除热必哕”。“方见痰饮中”原文为“小半夏汤方（见前）”。

小半夏汤方

半夏一升 生姜半斤

右二味，以水七升，煮取一升半，去滓，分温再服。

诸黄，腹痛而呕者，宜柴胡汤。（必小柴胡汤，方见呕吐中）

邹鉴：见桂林古本《伤寒杂病论·辨阳明病脉证并治》。“宜柴胡汤。（必小柴胡汤，方见呕吐中）”原文为“宜大柴胡汤”。

大柴胡汤方

柴胡半斤 黄芩三两 芍药三两 半夏半升（洗） 生姜五两（切） 枳实四枚（炙） 大枣十二枚（擘） 大黄二两

右八味，以水一斗二升，煮取六升，去滓，再煎，温服二升，日三服。

男子黄，小便自利，当与虚劳小建中汤。（方见虚劳中）

邹鉴：见桂林古本《伤寒杂病论·辨阳明病脉证并治》。原文为："诸黄，小便自利者，当以虚劳法，小建中汤主之。"

小建中汤方

桂枝三两　芍药六两　甘草三两（炙）　生姜三两（切）　大枣十二枚　饴糖一升

右六味，以水七升，先煮五味，取三升，去滓，纳胶饴，更上微火消解，温服一升，日三服。

附方

瓜蒂汤　治诸黄。（方见暍病中）

《千金》麻黄醇酒汤　治黄疸。

麻黄（三两）

上一味，以美清酒五升，煮取二升半，顿服尽。冬月用酒，春月用水煮之。

惊悸吐衄下血胸满瘀血病脉证治第十六

脉证十二条　方五首

寸口脉动而弱，动即为惊，弱则为悸。

邹鉴：桂林古本《伤寒杂病论》原文无，见《脉经·卷八·平惊悸衄吐下血胸满瘀血脉证第十三》。

师曰：尺脉浮，目睛晕黄，衄未止。晕黄去，目睛慧了，知衄今止。

邹鉴：见桂林古本《伤寒杂病论·辨瘀血吐衄下血疮痈病脉证并治》。原文为："尺脉浮，目睛晕黄者，衄未止也；黄去睛慧了者，知衄已止。"

又曰：从春至夏衄者，太阳；从秋至冬衄者，阳明。

邹鉴：见桂林古本《伤寒杂病论·辨瘀血吐衄下血疮痈病脉证并治》。原文为："从春至夏衄血者，属太阳也；从秋至冬衄血者，属阳明也。"

衄家不可汗，汗出必额上陷，脉紧急，直视不能眴，不得眠。

邹鉴：见桂林古本《伤寒杂病论·辨太阳病脉证并治中》。"衄家不可汗”原文为“衄家不可发汗”。“脉紧急”原文为“脉当紧”。

病人面无色，无寒热。脉沉弦者，衄；浮弱，手按之绝者，下血；烦咳者，必吐血。

邹鉴：见桂林古本《伤寒杂病论·辨瘀血吐衄下血疮痈病脉证并治》。原文为：“师曰：病人面无色，无寒热，脉沉弦者，必衄血；脉浮而弱，按之则绝者，必下血，烦而咳者，必吐血。”

夫吐血，咳逆上气，其脉数而有热，不得卧者，死。

夫酒客咳者，必致吐血，此因极饮过度所致也。

邹鉴：以上两条桂林古本《伤寒杂病论》原文无，见《脉经·卷八·平肺痿肺痈咳逆上气淡饮脉证第十五》。

寸口脉弦而大，弦则为减，大则为芤，减则为寒，芤则为虚，寒虚相击，此名曰革，妇人则半产漏下，男子则亡血。

邹鉴：见桂林古本《伤寒杂病论·平脉法第二》。“寸口”原文无。“寒虚相击”原文为“虚寒相抟”。“此名曰革”原文为“此名为革”。“男子则亡血”原文为“男子则之血失精”。

亡血不可发其表，汗出即寒栗而振。

邹鉴：见桂林古本《伤寒杂病论·辨太阳病脉证并治中》。原文为：“亡血家，不可发汗，发汗则寒栗而振。”

病人胸满，唇痿舌青，口燥，但欲漱水不欲咽，无寒热，脉微大来迟，腹不满，其人言我满，为有瘀血。

邹鉴：见桂林古本《伤寒杂病论·辨瘀血吐衄下血疮痈病脉证并治》。“漱水”原文为“漱水”。“为有瘀血”原文为“此为有瘀血”。“其人言我满”原文为“其言我满”。

病者如热状，烦满，口干燥而渴，其脉反无热，此为阴状，是瘀血也，当下之。

邹鉴：见桂林古本《伤寒杂病论·辨瘀血吐衄下血疮痈病脉证并治》。“病者如热状”原文为“病人如有热状”。“当下之”原文为“当下之，宜下瘀血汤”。

火邪者，桂枝去芍药加蜀漆牡蛎龙骨救逆汤主之。

桂枝救逆汤方

桂枝（三两，去皮） 甘草（二两，炙） 生姜（三两） 牡蛎（五两，熬）

龙骨（四两） 大枣（十二枚） 蜀漆（三两，洗去腥）

上为末，以水一斗二升，先煮蜀漆，减二升，内诸药，煮取三升，去滓，温服一升。

邹鉴：见桂林古本《伤寒杂病论·辨太阳病脉证并治中》。原文为："伤寒，脉浮，医以火迫劫之，亡阳，必惊狂，卧起不安者，桂枝去芍药加牡蛎龙骨救逆汤主之。"

桂枝去芍药加牡蛎龙骨救逆汤方

桂枝三两 甘草二两（炙） 生姜三两（切） 大枣十二枚（劈） 牡蛎五两（熬）龙骨四两

右六味，以水一斗二升，煮取三升，去滓，温服一升，日三服。

心下悸者，半夏麻黄丸主之。

半夏麻黄丸方

半夏 麻黄（等分）

上二味，末之，炼蜜和丸，小豆大，饮服三丸，日三服。

邹鉴：见桂林古本《伤寒杂病论·辨胸痹病脉证并治》原文为"胸痹，心下悸者，责其有痰也，半夏麻黄丸主之"。"半夏 麻黄（等分）"原文为"半夏、麻黄各等分"。"小豆大"原文为"如小豆大"。

吐血不止者，柏叶汤主之。

柏叶汤方

柏叶 干姜（各三两） 艾（三把）

上三味，以水五升，取马通汁一升，合煮，取一升，分温再服。

邹鉴：见桂林古本《伤寒杂病论·辨瘀血吐衄下血疮痈病脉证并治》。原文为："吐血不止者，柏叶汤主之；黄土汤亦主之。"

柏叶汤方："柏叶 干姜（各三两） 艾（三把）"原文为"柏叶三两 干姜三两 艾叶三把"。"取一升，分温再服"原文为"取一升，去滓，分温再服"。

黄土汤方

灶中黄土半斤 甘草三两 地黄三两 白术三两 附子三两（炮） 阿胶三两 黄芩三两

右七味，以水八升，煮取三升，去滓，分温三服。

下血，先便后血，此远血也，黄土汤主之。

黄土汤方（亦主吐血、衄血）

甘草　干地黄　白术　附子（炮）　阿胶　黄芩（各三两）　灶中黄土（半斤）

上七味，以水八升，煮取三升，分温二服。

邹鉴：见桂林古本《伤寒杂病论·辨瘀血吐衄下血疮痈病脉证并治》。“先便后血”原文为“先便而后血者”。“黄土汤方（亦主吐血、衄血）”原文为“方见前”。

下血，先血后便，此近血也，赤小豆当归散主之。（方见狐惑中）

邹鉴：见桂林古本《伤寒杂病论·辨瘀血吐衄下血疮痈病脉证并治》。“先血后便”原文为“先血而便者”。“赤小豆当归散主之（方见狐惑中）”原文为“赤豆当归散主之”。

赤豆当归散方

赤小豆（三升，浸令毛出曝干）　当归（十两）

右二味，杵为散，浆水和服方寸匙，日三服。

心气不足，吐血，衄血，泻心汤主之。

泻心汤方（亦治霍乱）

大黄（二两）　黄连　黄芩（各一两）

上三味，以水三升，煮取一升，顿服之。

邹鉴：见桂林古本《伤寒杂病论·辨瘀血吐衄下血疮痈病脉证并治》。“衄血”原文为“若衄血者”。

“泻心汤方（亦治霍乱）”原文为“泻心汤方”。“大黄（二两）　黄连　黄芩（各一两）”原文为“大黄二两　黄连一两”。“上三味，以水三升，煮取一升，顿服之”原文为“右二味，以水三升，煮取一升，去滓，顿服之”。

呕吐哕下利病脉证治第十七

论一首　脉证二十七条　方二十三首

邹鉴：桂林古本《伤寒杂病论》无此篇，为王叔和整理增加。

夫呕家有痈脓，不可治呕，脓尽自愈。

邹鉴：见桂林古本《伤寒杂病论·辨厥阴病脉证并治》。“夫呕家有痈脓”原文为“呕家，有痈脓者”。

先呕却渴者，此为欲解。先渴却呕者，为水停心下，此属饮家。

呕家本渴，今反不渴者，以心下有支饮故也，此属支饮。

邹鉴：以上两条桂林古本《伤寒杂病论》原文无，见《脉经·卷八·平呕吐哕下利脉证第十四》。

问曰：病人脉数，数为热，当消谷引食，而反吐者，何也？师曰：以发其汗，令阳微，膈气虚，脉乃数，数为客热，不能消谷，胃中虚冷故也。

邹鉴：见桂林古本《伤寒杂病论·辨太阳病脉证并治中》。原文为“病人脉数，数为热，当消谷，今引食而反吐者，此以发汗令阳气微，膈气虚，脉乃数也，数为客热，故不能消谷，以胃中虚冷故吐也”。

脉弦者虚也。胃气无余，朝食暮吐，变为胃反。寒在于上，医反下之，今脉反弦，故名曰虚。

寸口脉微而数，微则无气，无气则荣虚，荣虚则血不足，血不足则胸中冷。

趺阳脉浮而涩，浮则为虚，涩则伤脾，脾伤则不磨，朝食暮吐，暮食朝吐，宿谷不化，名曰胃反。脉紧而涩，其病难治。

人欲吐者，不可下之。

邹鉴：以上四条桂林古本《伤寒杂病论》原文无，见《脉经·卷八·平呕吐哕下利脉证第十四》。

哕而腹满，视其前后，知何部不利，利之即愈。

邹鉴：见桂林古本《伤寒杂病论·辨厥阴病脉证并治》。“哕而腹满”原文为“伤寒，哕而腹满”。“不利”原文为“下利”。

呕而胸满者，茱萸汤主之。

茱萸汤方

吴茱萸（一升） 人参（三两） 生姜（六两） 大枣（十二枚）

上四味，以水五升，煮取三升，温服七合，日三服。

邹鉴：见桂林古本《伤寒杂病论·辨厥阴病脉证并治》。“茱萸汤”原文为“吴茱萸汤”。“生姜（六两）
大枣（十二枚）”原文为“生姜六两（切） 大枣十二枚（劈）”。“以水五升，煮取三升”原文为“以水七升，煮取二升，去滓”。

干呕吐涎沫，头痛者，茱萸汤主之。（方见上）

邹鉴：见桂林古本《伤寒杂病论·辨厥阴病脉证并治》。“茱萸汤”原文为“吴茱萸汤”。

呕而肠鸣，心下痞者，半夏泻心汤主之。

半夏泻心汤方

半夏（半升，洗） 黄芩 干姜 人参（各三两） 黄连（一两） 大枣（十二枚） 甘草（三两，炙）

上七味，以水一斗，煮取六升，去滓，再煮，取三升，温服一升，日三服。

邹鉴：桂林古本《伤寒杂病论·辨太阳病脉证并治下》云：“伤寒五六日，呕而发热者，柴胡汤证具，而以他药下之，柴胡证仍在者，复与柴胡汤，此虽已下之，不为逆，必蒸蒸而振，却发热汗出而解。若心下满而鞕痛者，此为结胸也，大陷胸汤主之；但满而不痛者，此为痞，柴胡不中与之，宜半夏泻心汤。”

半夏泻心汤方

半夏（半升，洗） 黄芩（三两） 干姜（三两） 人参（三两） 甘草（三两，炙） 黄连（一两） 大枣（十二枚，劈）

右七味，以水一斗，煮取六升，去滓，再煎取三升，温服一升，日三服。

干呕而利者，黄芩加半夏生姜汤主之。

黄芩加半夏生姜汤方

黄芩（三两） 甘草（二两，炙） 芍药（二两） 半夏（半升） 生姜（三

两）　大枣（十二枚）

上六味，以水一斗，煮取三升，去滓，温服一升，日再，夜一服。

邹鉴：桂林古本《伤寒杂病论·辨太阳病脉证并治下》云：“太阳与少阳合病，自下利者，与黄芩汤；若呕者，黄芩加半夏生姜汤主之。”

黄芩汤方

黄芩三两　芍药二两　甘草二两　大枣十二枚（劈）

右四味，以水一斗，煮取三升，去滓，温服一升，日再服，夜一服。

黄芩加半夏生姜汤方

黄芩三两　芍药二两　甘草二两（炙）　半夏半升（洗）　生姜一两半　大枣十二枚（劈）

右六味，以水一斗，煮取三升，去滓，温服一升，日再服，夜一服。

诸呕吐，谷不得下者，小半夏汤主之。（方见痰饮中）

邹鉴：见桂林古本《伤寒杂病论·辨厥阴病脉证并治》。“诸呕吐”原文为“诸呕”。“方见痰饮中”原文为“小半夏汤方”。

小半夏汤方

半夏一升　生姜半斤

右二味，以水七升，煮取一升半，去滓，分温再服。

呕吐而病在膈上，后思水者，解，急与之。思水者猪苓散主之。

猪苓散方

猪苓　茯苓　白术（各等分）

上三味，杵为散，饮服方寸匕，日三服。

邹鉴：桂林古本《伤寒杂病论》原文无，见《脉经·卷八·平呕吐哕下利脉证第十四》。

呕而脉弱，小便复利，身有微热，见厥者难治。四逆汤主之。

四逆汤方

附子（一枚，生用）　干姜（一两半）　甘草（二两，炙）

上三味，以水三升，煮取一升二合，去滓，分温再服。强人可大附子一枚，干姜三两。

邹鉴：见桂林古本《伤寒杂病论·辨厥阴病脉证并治》。“四逆汤方”原文为“方见前”。

四逆汤方

人参二两　甘草二两　干姜一两半　附子一枚（生用去皮破八片）

右四味，以水三升，煮取一升二合，去滓，分温再服，若强可用大附子一枚，干姜二两。

呕而发热者，小柴胡汤主之。

小柴胡汤方

柴胡（半斤）　黄芩（三两）　人参（三两）　甘草（三两）　半夏（半斤）　生姜（三两）　大枣（十二枚）

上七味，以水一斗二升，煮取六升，去滓，再煎，取三升，温服一升，日三服。

邹鉴：见桂林古本《伤寒杂病论·辨厥阴病脉证并治》。“柴胡（半斤）　黄芩（三两）　人参（三两）　甘草（三两）　半夏（半斤）　生姜（三两）　大枣（十二枚）”原文为“柴胡八两　黄芩三两　人参三两　甘草三两（炙）　半夏半升（洗）　生姜三两（切）　大枣十二枚（劈）”。“再煎”原文为“更煎”。

胃反呕吐者，大半夏汤主之。（《千金》云：治胃反不受食，食入即吐。《外台》云：治呕心下痞硬者）

大半夏汤方

半夏（二升，洗完用）　人参（三两）　白蜜（一升）

上三味，以水一斗二升，和蜜扬之二百四十遍，煮药取升半，温服一升，余分再服。

邹鉴：桂林古本《伤寒杂病论》原文无，《脉经》亦不见。

食已即吐者，大黄甘草汤主之。（《外台》方又治吐水）

大黄甘草汤方

大黄（四两）　甘草（一两）

上二味，以水三升，煮取一升，分温再服。

邹鉴：桂林古本《伤寒杂病论》原文无，《脉经》亦不见。

胃反，吐而渴欲饮水者，茯苓泽泻汤主之。

茯苓泽泻汤方（《外台》云：治消渴脉绝，胃反吐食方。有小麦一升）

茯苓（半斤） 泽泻（四两） 甘草（二两） 桂枝（二两） 白术（三两） 生姜（四两）

右六味，以水一斗，煮取三升，内泽泻，再煮服二升半，温服八合，日三服。

邹鉴：桂林古本《伤寒杂病论·辨厥阴病脉证并治》云："消渴，欲饮水，胃反而吐者，茯苓泽泻汤主之。"

茯苓泽泻汤方

茯苓半斤 泽泻四两 甘草二两 桂枝二两 白术三两 生姜四两

上六味，以水一斗，煮取三升，去滓，温服一升，日三服。

吐后渴欲得水而贪饮者，文蛤汤主之；兼主微风，脉紧头痛。

文蛤汤方

文蛤（五两） 麻黄 甘草 生姜（各三两） 石膏（五两） 杏仁（五十枚） 大枣（十二枚）

上七味，以水六升，煮取二升，温服一升，汗出即愈。

邹鉴：见桂林古本《伤寒杂病论·辨厥阴病脉证并治》。原文为："消渴，欲得水而食饮不休者，文蛤汤主之。""煮取二升，温服一升，汗出即愈"原文为"煮取二升，去滓，温服一升，汗出即愈，若不汗，再服"。

干呕吐逆，吐涎沫，半夏干姜散主之。

半夏干姜散方

半夏 干姜（各等分）

上二味，杵为散，取方寸匕，浆水一升半，煎取七合，顿服之。

邹鉴：见桂林古本《伤寒杂病论·辨厥阴病脉证并治》。"取方寸匕"原文为"取方寸匙"。"煎取"原文为"煮取"。

病人胸中似喘不喘，似呕不呕，似哕不哕，彻心中愦愦然无奈者，生姜半夏汤主之。

生姜半夏汤方

半夏（半升） 生姜汁（一升）

上二味，以水三升，煮半夏，取二升，内生姜汁，煮取一升半，小冷，分四服，日三夜一服。止，停后服。

邹鉴：见桂林古本《伤寒杂病论·辨厥阴病脉证并治》。“生姜汁一升”原文为“生姜一斤”。“煮半夏，取二升，内生姜汁，煮取一升半，小冷，分四服，日三夜一服。止，停后服”原文为“先煮半夏，取二升，纳生姜汁，煮取一升，去滓，小冷，分四服，日三，夜一，呕止，停后服”。

干呕，哕，若手足厥者，橘皮汤主之。

橘皮汤方

橘皮（四两）　生姜（半斤）

上二味，以水七升，煮取三升，温服一升，下咽即愈。

邹鉴：见桂林古本《伤寒杂病论·辨厥阴病脉证并治》。“煮取三升，温服一升”原文为“煮取三升，去滓，温服一升”。

哕逆者，橘皮竹茹汤主之。

橘皮竹茹汤方

橘皮（二升）　竹茹（二升）　大枣（三十枚）　生姜（半斤）　甘草（五两）　人参（一两）

上六味，以水一斗，煮取三升，温服一升，日三服。

邹鉴：见桂林古本《伤寒杂病论·辨厥阴病脉证并治》。“哕逆者，橘皮竹茹汤主之”原文为“哕逆，其人虚者，橘皮竹茹汤主之”。“橘皮（二升）”原文为“橘皮二斤”。“煮取三升”原文为“煮取三升，去滓”。

夫六腑气绝于外者，手足寒，上气脚缩；五脏气绝于内者，利不禁，下甚者，手足不仁。

邹鉴：桂林古本《伤寒杂病论》原文无，见《脉经·卷八·平呕吐哕下利脉证第十四》。

下利，脉沉弦者，下重也；脉大者，为未止；脉微弱数者，为欲自止，虽发热不死。

邹鉴：见桂林古本《伤寒杂病论·辨厥阴病脉证并治》。原文同。

下利，手足厥冷，无脉者，灸之不温。若脉不还，反微喘者，死。少阴负趺阳者，为顺也。

邹鉴：见桂林古本《伤寒杂病论·辨厥阴病脉证并治》。“手足厥冷”原文为“手足厥逆”。

下利，有微热而渴，脉弱者，今自愈。

邹鉴：见桂林古本《伤寒杂病论·辨厥阴病脉证并治》。“今自愈”原文为“令自愈”。

下利，脉数，有微热，汗出，今自愈；设脉紧，为未解。

邹鉴：见桂林古本《伤寒杂病论·辨厥阴病脉证并治》。“汗出，今自愈；设脉紧”原文为“汗出者，为欲愈，脉紧者”。

下利，脉数而渴者，今自愈；设不差，必清脓血，以有热故也。

邹鉴：见桂林古本《伤寒杂病论·辨厥阴病脉证并治》。“今自愈”原文为“令自愈”。

下利，脉反弦，发热身汗者，自愈。

下利气者，当利其小便。

邹鉴：以上两条桂林古本《伤寒杂病论》原文无，见《脉经·卷八·平呕吐哕下利脉证第十四》。

下利，寸脉反浮数，尺中自涩者，必清脓血。

邹鉴：见桂林古本《伤寒杂病论·辨厥阴病脉证并治》。原文为：“下利，寸脉反浮数，尺中自涩者，必圊脓血，柏叶阿胶汤主之。”

下利清谷，不可攻其表，汗出必胀满。

邹鉴：见桂林古本《伤寒杂病论·辨厥阴病脉证并治》。“不可攻其表”原文为“不可攻表”。

下利，脉沉而迟，其人面少赤，身有微热，下利清谷者，必郁冒，汗出而解，病人必微热。所以然者，其面戴阳，下虚故也。

邹鉴：见桂林古本《伤寒杂病论·辨厥阴病脉证并治》。“病人必微热”原文为“病人必微厥”。

下利后，脉绝，手足厥冷，晬时脉还，手足温者生，脉不还者死。

邹鉴：见桂林古本《伤寒杂病论·辨厥阴病脉证并治》。原文同。

下利，腹胀满，身体疼痛者，先温其里，乃攻其表。温里宜四逆汤，攻表宜桂枝汤。

四逆汤方（方见上）

桂枝汤方

桂枝（三两，去皮） 芍药（三两） 甘草（二两，炙） 生姜（三两） 大枣

（十二枚）

上五味，㕮咀，以水七升，微火煮取三升，去滓，适寒温，服一升。服已，须臾，啜稀粥一升，以助药力，温覆令一时许，遍身漐漐，微似有汗者益佳，不可令如水淋漓。若一服汗出病差，停后服。

邹鉴：见桂林古本《伤寒杂病论·辨厥阴病脉证并治》。

“四逆汤方（方见上）”原文为“四逆汤方见前”。

桂枝汤方中“甘草（二两，炙）　生姜（三两）　大枣（十二枚）”原文为“甘草二两　生姜三两（切）　大枣十二枚（劈）”。“上五味，㕮咀，以水七升，微火煮取三升，去滓，适寒温，服一升。服已，须臾，啜稀粥一升，以助药力，温覆令一时许，遍身漐漐，微似有汗者益佳，不可令如水淋漓。若一服汗出病差，停后服”原文为“右五味，以水七升，煮取三升，去滓，温服一升，须臾，啜热粥一升，以助药力，如不差，再服，余如将息禁忌法”。

下利，三部脉皆平，按之心下坚者，急下之，宜大承气汤。

邹鉴：桂林古本《伤寒杂病论》原文无，见《脉经·卷八·平呕吐哕下利脉证第十四》，但《脉经》中无方。《脉经》原文：“下利，三部脉皆平，按之心下坚者，可下之。”

下利，脉迟而滑者，实也。利未欲止，急下之，宜大承气汤。

邹鉴：桂林古本《伤寒杂病论》原文无，见《脉经·卷八·平呕吐哕下利脉证第十四》，但《脉经》中无方。《脉经》原文：“下利，脉迟而滑者，实也。利未欲止，当下之。”

下利，脉反滑者，当有所去，下乃愈，宜大承气汤。

邹鉴：桂林古本《伤寒杂病论》原文无，见《脉经·卷八·平呕吐哕下利脉证第十四》，但《脉经》中无方。《脉经》原文：“下利，脉反滑者，当有所去，下乃愈。”

下利已差，至其年月日时复发者，以病不尽故也，当下之，宜大承气汤。

大承气汤方（见痉病中）

邹鉴：桂林古本《伤寒杂病论》原文无，见《脉经·卷八·平呕吐哕下利脉证第十四》，但《脉经》中无方。《脉经》原文：“下利瘥，至其年月日时复发，此为病不尽，当复下之。”

下利谵语者，有燥屎也，小承气汤主之。

小承气汤方

大黄（四两） 厚朴（二两，炙） 枳实（大者，三枚，炙）

上三味，以水四升，煮取一升二合，去滓，分温二服。得利则止。

邹鉴：见桂林古本《伤寒杂病论·辨厥阴病脉证并治》。“小承气汤主之”原文为“宜小承气汤”。“大黄（四两） 厚朴（二两，炙） 枳实（大者，三枚，炙）”原文为“大黄四两（酒洗） 枳实三枚（炙） 厚朴二两（去皮尖）”。

“煮取一升二合，去滓，分温二服。得利则止”原文为“先煮二味，取一升二合，去滓，纳大黄，再煮一二沸，去滓，分温二服，一服谵语止，若更衣者，停后服，不尔，尽服之”。

下利便脓血者，桃花汤主之。

桃花汤方

赤石脂（一斤，一半剉，一半筛末） 干姜（一两） 粳米（一升）

上三味，以水七升，煮米令熟，去滓，温七合，内赤石脂末方寸匕，日三服。若一服愈，余勿服。

邹鉴：见桂林古本《伤寒杂病论·辨少阴病脉证并治》。“下利便脓血者”原文为“少阴病，下利便脓血者”。“赤石脂（一斤，一半剉，一半筛末）”原文为“赤石脂一斤（一半全用一半筛末）”。“温七合，内赤石脂末方寸匕”原文为“温服七合，纳赤石脂末方寸匙”。

热利重下者，白头翁汤主之。

白头翁汤方

白头翁（二两） 黄连 黄柏 秦皮（各三两）

上四味，以水七升，煮取二升，去滓，温服一升。不愈更服。

邹鉴：见桂林古本《伤寒杂病论·辨厥阴病脉证并治》。“热利重下者”原文为“热利下重者”。“不愈更服”原文为“不愈，更服一升”。

下利后更烦，按之心下濡者，为虚烦也，栀子豉汤主之。

栀子豉汤

栀子（十四枚） 香豉（四合，绵裹）

上二味，以水四升，先煮栀子得二升半，内豉，煮取一升半，去滓，分二服，温进一服，得吐则止。

邹鉴：见桂林古本《伤寒杂病论·辨厥阴病脉证并治》。“栀子豉汤主之”原文为“宜栀子豉汤”。

栀子豉汤方

栀子十四枚（劈） 香豉（四合，棉裹）

右二味，以水四升，先煮栀子，取二升，纳豉，更煮取一升半，去滓，分温再服。一服得吐，止后服。

下利清谷，里寒外热，汗出而厥者，通脉四逆汤主之。

通脉四逆汤方

附子（大者一枚，生用） 干姜（三两，强人可四两） 甘草（二两，炙）

上三味，以水三升，煮取一升二合，去滓，分温再服。

邹鉴：见桂林古本《伤寒杂病论·辨厥阴病脉证并治》。“附子（大者一枚，生用） 干姜（三两，强人可四两） 甘草（二两，炙）”原文为“甘草二两（炙） 附子大者一枚（生用） 干姜三两 人参二两”。

“上三味”原文为“右四味”。“分温再服”原文为“分温再服，其脉出者愈”。

下利肺（腹）痛，紫参汤主之。

紫参汤方

紫参（半斤） 甘草（三两）

上二味，以水五升，先煮紫参，取二升，内甘草，煮取一升半，分温三服。（疑非仲景方）

邹鉴：见桂林古本《伤寒杂病论·辨厥阴病脉证并治》。原文为：“下利，腹痛，若胸痛者，紫参汤主之。”“内甘草，煮取一升半，分温三服”原文为“纳甘草，煮取一升半，去滓，分温再服”。

气利，诃梨勒散主之。

诃梨勒散方

诃梨勒（十枚，煨）

上一味，为散，粥饮和，顿服。（疑非仲景方）

邹鉴：见桂林古本《伤寒杂病论·辨厥阴病脉证并治》。“顿服”原文为“顿服之”。

附方

《千金翼》小承气汤 治大便不通，哕，数谵语。（方见上）

《外台》黄芩汤 治干呕下利。

黄芩 人参 干姜（各三两） 桂枝（一两） 大枣（十二枚） 半夏（半升）

上六味，以水七升，煮取三升，温分三服。

疮痈肠痈浸淫病脉证并治第十八

论一首 脉证三条 方五首

邹鉴：桂林古本《伤寒杂病论》无此专篇。

诸浮数脉，应当发热，而反洒淅恶寒，若有痛处，当发其痈。

师曰：诸痈肿，欲知有脓无脓，以手掩肿上，热者为有脓，不热者为无脓。

邹鉴：见桂林古本《伤寒杂病论·辨瘀血吐衄下血疮痈病脉证并治》。“诸浮数脉”原文为“诸脉浮数”。“应当发热”原文为“法当发热”。“诸痈肿”原文为“诸痈肿者”。“不热者为无脓”原文为“不热者为无脓也”。

肠痈之为病，其身甲错，腹皮急，按之濡，如肿状，腹无积聚，身无热，脉数，此为腹内有痈脓，薏苡附子败酱散主之。

薏苡附子败酱散方

薏苡仁（十分） 附子（二分） 败酱（五分）

上三味，杵为末，取方寸匕，以水二升，煎减半，顿服。小便当下。

邹鉴：见桂林古本《伤寒杂病论·辨瘀血吐衄下血疮痈病脉证并治》。“此为腹内有痈脓”原文为“此为肠内有痈也”。“薏苡仁（十分）”原文为“薏苡十分”。“取方寸匕，以水二升，煎减半，顿服。小便当下”原文为“取方寸匙，以水二升，煮减半，去滓，顿服，小便当下血”。

肠痈者，少腹肿痞，按之即痛如淋，小便自调，时时发热，自汗出，复恶寒，其脉迟紧者，脓未成，可下之，当有血。脉洪数者，脓已成，不可下也，大黄牡丹汤主之。

大黄牡丹汤方

大黄（四两） 牡丹（一两） 桃仁（五十个） 瓜子（半升） 芒硝（三合）

上五味，以水六升，煮取一升，去滓，内芒硝，再煎沸，顿服之，有脓当下，如无脓，当下血。

邹鉴：见桂林古本《伤寒杂病论·辨瘀血吐衄下血疮痈病脉证并治》。“肠痈者”原文无。“复恶寒，其脉迟紧者，脓未成，可下之，当有血”原文为“复恶寒，此为肠外有痈也；其脉沉紧者，脓未成也，下之当有血”。“脓已成，不可下也”原文为“脓已成也，可下之”。“瓜子（半升）”原文为“冬瓜子半升”。“内芒硝，再煎沸”原文无。“有脓当下，如无脓，当下血”原文为“有脓者当下脓，无脓者当下血”。

问曰：寸口脉浮微而涩，然当亡血，若汗出，设不汗者云何？答曰：若身有疮，被刀斧所伤，亡血故也。

病金疮，王不留行散主之。

王不留行散方

王不留行（十分，八月八日采） 蒴藋细叶（十分，七月七日来） 桑东南根白皮（十分，三月三日采） 甘草（十八分） 川椒（三分，除目及闭口者，去汗） 黄芩（二分） 干姜（二分） 芍药（二分） 厚朴（二分）

上九味，桑根皮以上三味，烧灰存性，勿令灰过，各别杵筛，合治之为散，服方寸匕，小疮即粉之，大疮但服之。产后亦可服。如风寒，桑东根勿取之。前三物，皆阴干百日。

排脓散方

枳实（十六枚） 芍药（六分） 桔梗（二分）

上三味，杵为散，取鸡子黄一枚，以药散与鸡黄相等，揉和令相得，饮和服之，日一服。

排脓汤方

甘草（二两） 桔梗（三两） 生姜（一两） 大枣（十枚）

上四味，以水三升，煮取一升，温服五合，日再服。

邹鉴：见桂林古本《伤寒杂病论·辨瘀血吐衄下血疮痈病脉证并治》。“寸口脉浮微而涩，然当亡血”原文为“寸口脉微浮而涩，法当亡血”。“设不汗者云何”原文为“设不汗出者云何?”“亡血故也。病金疮，王不留行散主之”原文为“亡血故也，此名金疮；无脓者，王不留行散主之；有脓者，排脓散主之，排脓汤亦主之”。

王不留行散方原文为：

王不留行散方

王不留行十分（烧） 蒴藋细叶十分（烧） 桑根白皮十分（烧） 甘草十八分 黄芩二分 蜀椒三分（去目） 厚朴二分 干姜二分 芍药二分

右九味，为散，饮服方寸匙，小疮即粉之，大疮但服之，产后亦可服。

排脓汤方煎法：“煮取一升，温服五合”原文为“煮取一升，去滓，温服五合”。

浸淫疮，从口流向四肢者可治；从四肢流来入口者不可治。

浸淫疮，黄连粉主之。（方未见）

邹鉴：见桂林古本《伤寒杂病论·辨瘀血吐衄下血疮痈病脉证并治》。“方未见”原文为“黄连粉方”。

黄连粉方

黄连十分 甘草十分

右二味，捣为末，饮服方寸匙，并粉其疮上。

趺蹶手指臂肿转筋阴狐疝蛔虫病脉证治第十九

论一首 脉证一条 方四首

邹鉴：桂林古本《伤寒杂病论》无此专篇。

师曰：病趺蹶，其人但能前，不能却，刺腨入二寸，此太阳经伤也。

病人常以手指臂肿动，此人身体瞤瞤者，藜芦甘草汤主之。

藜芦甘草汤方（未见）

邹鉴：桂林古本《伤寒杂病论》原文无，亦不见于《脉经》。

转筋之为病，其人臂脚直，脉上下行，微弦，转筋入腹者，鸡屎白散主之。

鸡屎白散方

鸡屎白

上一味，为散，取方寸匕，以水六合，和，温服。

邹鉴：桂林古本《伤寒杂病论》原文无，见《脉经·卷八·平霍乱转筋脉证第四》。原文无方。

阴狐疝气者，偏有小大，时时上下，蜘蛛散主之。

蜘蛛散方

蜘蛛（十四枚，熬焦） 桂枝（半两）

上二味为散，取八分一匕，饮和服，日再服，蜜丸亦可。

邹鉴：见桂林古本《伤寒杂病论·辨厥阴病脉证并治》。原文为："病人睾丸，偏有大小，时有上下，此为狐疝，宜先刺厥阴之俞，后与蜘蛛散。"

蜘蛛散方

蜘蛛十四枚（熬） 桂枝一两

右二味，为散，以白饮和服方寸匙，日再服，蜜丸亦可。

问曰：病腹痛有虫，其脉何以别之？师曰：腹中痛，其脉当沉，若弦，反洪大，故有蛔虫。蛔虫之为病，令人吐涎，心痛，发作有时。毒药不止，甘草粉蜜汤主之。

甘草粉蜜汤方

甘草（二两） 粉（一两） 蜜（四两）

上三味，以水三升，先煮甘草，取二升，去滓，内粉蜜，搅令和，煎如薄粥，温服一升，差即止。

邹鉴：见桂林古本《伤寒杂病论·辨厥阴病脉证并治》。原文为："病人呕，吐涎沫，心痛，若腹痛发作有时，其脉反洪大者，此虫之为病也，甘草粉蜜汤主之。”“粉（一两）”原文为“白粉一两（即铅粉）”，“（即铅粉）”考虑为后人所加。“差即止”原文为“差，止后服”。

蛔厥者，当吐蛔，今病者静而复时烦，此为脏寒。蛔上入膈，故烦。须臾复止，得食而呕，又烦者，蛔闻食臭出，其人常自吐蛔。

蛔厥者，乌梅丸主之。

乌梅丸方

乌梅（三百个） 细辛（六两） 干姜（十两） 黄连（一斤） 当归（四两） 附子（六两，炮） 川椒（四两，去汗） 桂枝（六两） 人参 黄柏（各六两）

上十味，异捣筛，合治之，以苦酒渍乌梅一宿，去核蒸之，五升米下，饭熟，捣成泥，和药令相得，内臼中，与蜜杵二千下，丸如梧子大，先食，饮服十丸，三服，稍加至二十丸，禁生冷滑臭等食。

邹鉴：见桂林古本《伤寒杂病论·辨厥阴病脉证并治》。原文为：“伤寒，脉微而厥。至七八日，肤冷，其人躁，无暂安时者，此为脏厥，非蛔厥也。蛔厥者，其人当吐蛔，今病者静，而复时烦，此为脏寒，蛔上入其膈，故烦，须臾复止；得食而呕又烦者，蛔闻食臭出，其人当自吐蛔。蛔厥者，乌梅丸主之，又主久利。”

“乌梅（三百个）”原文为“乌梅三百枚”。“黄连（一斤）”原文为“黄连十六两”。“附子（六两，炮）”原文为“附子六两（炮去皮）”。“川椒（四两，去汗）”原文为“蜀椒四两（出汗）”。“桂枝（六两）”原文为“桂枝六两（去皮）”。“人参 黄柏（各六两）”原文为“人参六两 黄柏六两”。

“五升米下”原文为“五斗米下”。“丸如梧子大”原文为“丸如梧桐子大”。“三服”原文为“日三服”。“禁生冷滑臭等食”原文为“禁生冷，滑物，臭食等”。

金匮要略方论卷下

妇人妊娠病脉证并治第二十

证三条　方八首

邹鉴：桂林古本《伤寒杂病论》原文无此标题，原题为《辨妇人各病脉证并治》。

师曰：妇人得平脉，阴脉小弱，其人渴，不能食，无寒热，名妊娠，桂枝汤主之（方见利中）。于法六十日当有此证，设有医治逆者，却一月，加吐下者，则绝之。

邹鉴：见桂林古本《伤寒杂病论·辨妇人各病脉证并治》。"其人渴"原文为"其人呕"。"名妊娠"原文为"此为妊娠"。"方见利中"原文无。

桂枝汤方

桂枝三两（去皮）　芍药三两　甘草二两（炙）　生姜三两（切）　大枣十二枚（劈）

右五味，以水七升，煮取三升，去滓，分温三服。

妇人宿有癥病，经断未及三月，而得漏下不止，胎动在脐上者，为癥痼害。妊娠六月动者，前三月经水利时，胎也。下血者，后断三月衃也。所以血不止者，其癥不去故也，当下其癥，桂枝茯苓丸主之。

桂枝茯苓丸方

桂枝　茯苓　牡丹（去心）　桃仁（去皮尖，熬）　芍药（各等分）

上五味，末之，炼蜜和丸，如兔屎大，每日食前服一丸，不知，加至三丸。

邹鉴：见桂林古本《伤寒杂病论·辨妇人各病脉证并治》。"癥"原文为"症"，此文正确，考虑为转抄者所改。"后断三月衃也"原文为"断后三月衃也”。

“牡丹（去心） 桃仁（去皮尖，熬）”原文为“牡丹 桃仁”。“炼蜜和丸”原文为“炼蜜为丸”。“加至三丸”原文为“可渐加至三丸”。

妇人怀娠六七月，脉弦发热，其胎愈胀，腹痛恶寒者，少腹如扇，所以然者，子脏开故也，当以附子汤温其脏。（方未见）

邹鉴：见桂林古本《伤寒杂病论·辨妇人各病脉证并治》。“怀娠”原文为“怀孕”。“腹痛恶寒者”原文为“腹痛恶寒”。“子脏开故也”原文为“子藏开故也”。“当以附子汤温其脏”原文为“当以附子汤温之”。“方未见”原文为“附子汤方”。

附子汤方

附子二枚（炮，去皮，破八片） 茯苓三两 人参二两 白术四两 芍药三两

右五味，以水八升，煮取三升，去滓，温服一升，日三服。

师曰：妇人有漏下者，有半产后因续下血都不绝者，有妊娠下血者，假令妊娠腹中痛，为胞阻，胶艾汤主之。

芎归胶艾汤方（一方加干姜一两。胡洽治妇人胞动无干姜）

川芎 阿胶 甘草（各二两） 艾叶 当归（各三两） 芍药（四两） 干地黄（四两）

上七味，以水五升，清酒三升，合煮，取三升，去滓，内胶，令消尽，温服一升，日三服，不差更作。

邹鉴：见桂林古本《伤寒杂病论·辨妇人各病脉证并治》。“有半产后因续下血都不绝者”原文为“有半产后续下血都不绝者”。“有妊娠下血者”原文无。“假令妊娠腹中痛，为胞阻”原文为“假令妊娠腹中痛者，此为胞阻”。“芎归胶艾汤方（一方加……无干姜）”原文为“胶艾汤方”。“干地黄（四两）”原文为“地黄六两”。“合煮”原文为“煮六味”。“内胶，令消尽”原文为“纳胶烊消”。“不差更作”原文无。

妇人怀娠，腹中㽲痛，当归芍药散主之。

当归芍药散方

当归（三两） 芍药（一斤） 茯苓（四两） 白术（四两） 泽泻（半斤） 川芎（半斤，一作三两）

上六味，杵为散，取方寸匕，酒和，日三服。

邹鉴：见桂林古本《伤寒杂病论·辨妇人各病脉证并治》。“妇人怀娠”原文为“女人怀妊”。“川芎（半斤，一作三两）”原文为“川芎三两”。“取方寸匕，酒和”原文为“取方寸匙，温酒和”。

妊娠呕吐不止，干姜人参半夏丸主之。

干姜人参半夏丸方

干姜　人参（各一两）　半夏（二两）

上三味，末之，以生姜汁糊为丸，如梧子大，饮服十丸，日三服。

邹鉴：见桂林古本《伤寒杂病论·辨妇人各病脉证并治》。“干姜　人参（各一两）”原文为“干姜一两　人参一两”。“如梧子大，饮服十丸，日三服”原文为“如梧桐子大，每服五丸，日三服，饮下”。

妊娠小便难，饮食如故，归母苦参丸主之。

当归贝母苦参丸方（男子加滑石半两）

当归　贝母　苦参（各四两）

上三味，末之，炼蜜丸如小豆大，饮服三丸，加至十丸。

邹鉴：见桂林古本《伤寒杂病论·辨妇人各病脉证并治》。“归母苦参丸主之”原文为“当归贝母苦参丸主之”。“男子加滑石半两”原文无。“炼蜜丸如小豆大，饮服三丸，加至十丸”原文为“炼蜜为丸，如小豆大，饮服三丸，日三服”。

妊娠有水气，身重，小便不利，洒淅恶寒，起则头眩，葵子茯苓散主之。

葵子茯苓散方

葵子（一斤）　茯苓（三两）

上二味，杵为散，饮服方寸匕，日三服，小便利则愈。

邹鉴：见桂林古本《伤寒杂病论·辨妇人各病脉证并治》。“身重”原文无。“饮服方寸匕”原文为“饮服方寸匙”。

妇人妊娠，宜常服当归散主之。

当归散方

当归　黄芩　芍药　川芎（各一斤）　白术（半斤）

上五味，杵为散，酒饮服方寸匕，日再服。妊娠常服即易产，胎无苦疾，产后百病悉主之。

邹鉴：见桂林古本《伤寒杂病论·辨妇人各病脉证并治》。原文为："妇人妊娠，身无他病，宜常服当归散，则临产不难，产后亦免生他病。"

"当归　黄芩　芍药　川芎（各一斤）　白术（半斤）"原文为"当归一斤　黄芩一斤　芍药一斤　川芎一斤　白术半斤"。"酒饮服方寸匕"原文为"酒服方寸匙"。

"妊娠常服即易产，胎无苦疾，产后百病悉主之"原文无。

妊娠养胎，白术散主之。

白术散方（见《外台》）

白术（四分）　川芎（四分）　蜀椒（三分，去汗）　牡蛎（二分）

上四味，杵为散，酒服一钱匕，日三服，夜一服。但苦痛，加芍药；心下毒痛，倍加川芎；心烦吐痛，不能食饮，加细辛一两，半夏大者二十枚，服之后更以醋浆水服之；若呕，以醋浆水服之复不解者，小麦汁服之；已后渴者，大麦粥服之。病虽愈，服之勿置。

邹鉴：见桂林古本《伤寒杂病论·辨妇人各病脉证并治》。原文为："妊娠，身有寒湿，或腹痛，或心烦，心痛，不能饮食，其胎跃跃动者，宜养之，白术散主之。"

"白术散方（见《外台》）"原文为"白术散方"。"白术（四分）　川芎（四分）　蜀椒（三分，去汗）　牡蛎（二分）"原文为"白术　川芎　蜀椒（去目汗）　牡蛎各等分"。"酒服一钱匕"原文为"酒服一钱匙"。

"但苦痛，加芍药；心下毒痛，倍加川芎；心烦吐痛，不能食饮，加细辛一两，半夏大者二十枚，服之后更以醋浆水服之；若呕，以醋浆水服之复不解者，小麦汁服之；已后渴者，大麦粥服之。病虽愈，服之勿置"原文无。

妇人伤胎，怀身腹满，不得小便，从腰以下重，如有水气状，怀身七月，太阴当养不养，此心气实，当刺泻劳宫及关元，小便微利则愈。（见《玉函》）

邹鉴：见桂林古本《伤寒杂病论·辨妇人各病脉证并治》。原文为："妇人怀身七月，腹满不得小便，从腰以下如有水状，此太阴当养不养，心气实也，宜泻劳宫，关元，小便利则愈。"

妇人产后病脉证治第二十一

论一首　证六条　方七首

邹鉴：桂林古本《伤寒杂病论》原文无此标题，原题为《辨妇人各病脉证并治》。

问曰：新产妇人有三病，一者病痉，二者病郁冒，三者大便难，何谓也？师曰：新产血虚，多出汗，喜中风，故令病痉；亡血复汗，寒多，故令郁冒；亡津液，胃燥，故大便难。

邹鉴：见桂林古本《伤寒杂病论·辨妇人各病脉证并治》。"二者病郁冒"原文为"二者郁冒"。"多出汗"原文为"多汗出"。

产妇郁冒，其脉微弱，不能食，大便反坚，但头汗出。所以然者，血虚而厥，厥而必冒，冒家欲解，必大汗出。以血虚下厥，孤阳上出，故头汗出。所以产妇喜汗出者，亡阴血虚，阳气独盛，故当汗出，阴阳乃复。大便坚，呕不能食，小柴胡汤主之。（方见呕吐中）

邹鉴：见桂林古本《伤寒杂病论·辨妇人各病脉证并治》。"不能食"原文为"呕不能食"。"厥而必冒"原文为"厥则必冒"。"故头汗出"原文为"故头汗出也"。"呕不能食"原文为"呕不能食者"。"方见呕吐中"原文为"小柴胡汤方"。

小柴胡汤方

柴胡半斤　黄芩三两　人参三两　甘草三两　半夏半升（洗）　生姜三两（切）　大枣十二枚（劈）

右七味，以水一斗，煮取六升，去滓，再煎取三升，温服一升，日三服。

病解能食，七八日更发热者，此为胃实，大承气汤主之。（方见痉中）

邹鉴：见桂林古本《伤寒杂病论·辨妇人各病脉证并治》。"病解能食"原文为"郁冒病解，能食"。"方见痉中"原文为"大承气汤方"。

大承气汤方

大黄四两（酒洗） 厚朴半斤（炙，去皮） 枳实五枚（炙） 芒硝三合

右四味，以水一斗，先煮二物，取五升，去滓，纳大黄，更煮取二升，去滓，纳芒硝，更上微火一两沸，分温再服，得下，停后服。

产后腹中㽲痛，当归生姜羊肉汤主之，并治腹中寒疝，虚劳不足。

当归生姜羊肉汤方（见寒疝中）

邹鉴：见桂林古本《伤寒杂病论·辨妇人各病脉证并治》。原文为："产后腹中㽲痛，若虚寒不足者，当归生姜羊肉汤主之。"

当归生姜羊肉汤方

当归三两 生姜五两 羊肉一斤

右三味，以水八升，煮取三升，去滓，温服一升，日三服。

产后腹痛，烦满不得卧，枳实芍药散主之。

枳实芍药散方

枳实（烧令黑，勿太过） 芍药（等分）

上二味，杵为散，服方寸匕，日三服。并主痈脓，以麦粥下之。

邹鉴：见桂林古本《伤寒杂病论·辨妇人各病脉证并治》。"枳实芍药散主之"原文为"不可下也，宜枳实芍药散和之"。

"枳实（烧令黑，勿太过） 芍药（等分）"原文为"枳实 芍药等分"。"服方寸匕，日三服。并主痈脓，以麦粥下之"原文为"服方寸匙，日三服，麦粥和下之"。

师曰：产妇腹痛，法当以枳实芍药散，假令不愈者，此为腹中有干血着脐下，宜下瘀血汤主之。亦主经水不利。

下瘀血汤方

大黄（二两） 桃仁（二十枚） 䗪虫（二十枚，熬，去足）

上三味，末之，炼蜜和为四丸，以酒一升，煎一丸，取八合，顿服之。新血下如豚肝。

邹鉴：见桂林古本《伤寒杂病论·辨妇人各病脉证并治》。"假令不愈者，此为腹中有干血着脐下，宜下瘀血汤主之"原文为"法当以枳实芍药

散；假令不愈，必腹中有瘀血著脐下也，下瘀血汤主之”。“亦主经水不利”原文无。

下瘀血汤方

大黄三两　桃仁二十枚（去皮尖）　䗪虫二十枚（去足）

右三味，末之，炼蜜和丸，以酒一升，煮取八合，顿服之，当下血如豚肝。

产后七八日，无太阳证，少腹坚痛，此恶露不尽，不大便，烦躁发热，切脉微实，再倍发热，日晡时烦躁者，不食，食则谵语，至夜即愈，宜大承气汤主之。热在里，结在膀胱也。（方见痉病中）

邹鉴：见桂林古本《伤寒杂病论·辨妇人各病脉证并治》。原文为："产后七八日，无太阳证，少腹坚痛，此恶露不尽也；若不大便，烦躁，发热，脉微实者，宜和之；若日晡所烦躁，食则谵语，至夜即愈者，大承气汤主之。（方见前）"

产后风，续之数十日不解，头微痛，恶寒，时时有热，心下闷，干呕汗出。虽久，阳旦证续在者，可与阳旦汤。（即桂枝汤，方见下利中）

邹鉴：见桂林古本《伤寒杂病论·辨妇人各病脉证并治》。原文为："产后中风，数十日不解，头痛，恶寒，发热，心下满，干呕，续自微汗出，小柴胡汤主之。（方见前）"

产后中风发热，面正赤，喘而头痛，竹叶汤主之。

竹叶汤方

竹叶（一把）　葛根（三两）　防风　桔梗　桂枝　人参　甘草（各一两）　附子（一枚，炮）　大枣（十五枚）　生姜（五两）

上十味，以水一斗，煮取二升半，分温三服，温覆使汗出。颈项强，用大附子一枚，破之如豆大，煎药汤去沫。呕者加半夏半升，洗。

邹鉴：见桂林古本《伤寒杂病论·辨妇人各病脉证并治》。原文为："产后中风，发热，面赤，头痛，汗出而喘，脉弦数者，竹叶汤主之。"

竹叶汤方

竹叶一把　葛根三两　桔梗一两　人参一两　甘草一两　生姜五两　大枣十五枚（劈）

右七味，以水八升，煮取三升，去滓，温服一升，日三服。

妇人乳中虚，烦乱呕逆，安中益气，竹皮大丸主之。

竹皮大丸方

生竹茹（二分） 石膏（二分） 桂枝（一分） 甘草（七分） 白薇（一分）

上五味，末之，枣肉和丸，弹子大，以饮服一丸，日三夜二服。有热者，倍白薇；烦喘者，加柏实一分。

邹鉴：见桂林古本《伤寒杂病论·辨妇人各病脉证并治》。原文为："产后烦乱，呕逆，无外证者，此乳中虚也，竹皮大丸主之。""生竹茹（二分）"原文为"竹茹二分"。"弹子大，以饮服一丸，日三夜二服"原文为"如弹子大，饮服一丸，日三服，夜二服"。"烦喘者，加柏实一分"原文无。

产后下利虚极，白头翁加甘草阿胶汤主之。

白头翁加甘草阿胶汤方

白头翁（二两） 黄连 柏皮 秦皮（各三两） 甘草（二两） 阿胶（二两）

上六味，以水七升，煮取二升半，内胶，令消尽，分温三服。

邹鉴：见桂林古本《伤寒杂病论·辨妇人各病脉证并治》。"产后下利虚极"原文为"产后下利，脉虚极者"。

白头翁加甘草阿胶汤方

白头翁二两 黄连三两 柏皮三两 秦皮三两 甘草二两 阿胶二两

右六味，以水五升，先煮五味，取三升，去滓，纳胶烊消，分温三服。

附方

《千金》三物黄芩汤 治妇人在草蓐，自发露得风，四肢苦烦热，头痛者，与小柴胡汤。头不痛，但烦者，此汤主之。

黄芩（一两） 苦参（二两） 干地黄（四两）

上三味，以水八升，煮取二升，温服一升，多吐下虫。

《千金》内补当归建中汤 治妇人产后虚羸不足，腹中刺痛不止，吸吸少气，或苦少腹中急摩痛，引腰背，不能食饮，产后一月，日得四五剂为善。令人强壮，宜。

当归（四两） 桂枝（三两） 芍药（六两） 生姜（三两） 甘草（二两） 大枣（十二枚）

上六味，以水一斗，煮取三升，分温三服，一日令尽。若大虚，加饴糖六两，汤成内之，于火上暖令饴消，若去血过多，崩伤内衄不止，加地黄六两，阿胶二两，合八味，汤成内阿胶。若无当归，以川芎代之；若无生姜，以干姜代之。

妇人杂病脉证并治第二十二

论一首　脉证合十四条　方十三首

邹鉴：桂林古本《伤寒杂病论》原文无此标题，原题为《辨妇人各病脉证并治》。

妇人中风，七八日续来寒热，发作有时，经水适断，此为热入血室，其血必结，故使如疟状，发作有时，小柴胡汤主之。(方见呕吐中)

邹鉴：见桂林古本《伤寒杂病论·辨太阳病脉证并治下》。“七八日续来寒热”原文为“七八日，续得寒热”。“经水适断”原文为“经水适断者”。“发作有时”原文无。“方见呕吐中”原文为“小柴胡汤方”。

小柴胡汤方

柴胡半斤　黄芩三两　人参三两　半夏半升　甘草三两（炙）　生姜三两（切）　大枣十二枚（劈）

右七味，以水一斗二升，煮取六升，去滓，再煎取三升，温服一升，日三服。

妇人伤寒发热，经水适来，昼日明了，暮则谵语，如见鬼状者，此为热入血室，治之无犯胃气及上二焦，必自愈。

邹鉴：见桂林古本《伤寒杂病论·辨太阳病脉证并治下》。“治之无犯胃气及上二焦”原文为“无犯胃气及上二焦”。

妇人中风，发热恶寒，经水适来，得七八日，热除脉迟，身凉和，胸胁满，如结胸状，谵语者，此为热入血室也，当刺期门，随其实而取之。

邹鉴：见桂林古本《伤寒杂病论·辨太阳病脉证并治下》。“发热恶寒，经水适来，得七八日，热除脉迟，身凉和，胸胁满”原文为“发热恶风，经水适来，得之七八日，热除而脉迟身凉，胸胁下满”。“随其实而取之”原文为“随其实而泄之”。

阳明病，下血谵语者，此为热入血室，但头汗出，当刺期门，随其实而泻之。濈然汗出者愈。

邹鉴：见桂林古本《伤寒杂病论·辨阳明病脉证并治》。“但头汗出，当刺期门”原文为“但头汗出者，刺期门”。“濈然汗出者愈”原文为“濈然汗出则愈”。

妇人咽中如有炙脔，半夏厚朴汤主之。

半夏厚朴汤方（《千金》作胸满，心下坚，咽中帖帖，如有炙肉，吐之不出，吞之不下）

半夏（一升） 厚朴（三两） 茯苓（四两） 生姜（五两） 干苏叶（二两）

右五味，以水七升，煮取四升，分温四服，日三夜一服。

邹鉴：见桂林古本《伤寒杂病论·辨妇人各病脉证并治》。原文为：“妇人咽中如有炙脔者，半夏厚朴茯苓生姜汤主之。”

半夏厚朴茯苓生姜汤方

半夏一升 厚朴三两 茯苓四两 生姜五两 苏叶二两

上五味，以水一斗，煮取四升，去滓，分温四服，日三服，夜一服，苦痛者，去苏叶，加桔梗二两。

妇人脏躁，喜悲伤欲哭，象如神灵所作，数欠伸，甘麦大枣汤主之。

甘草小麦大枣汤方

甘草（三两） 小麦（一斤） 大枣（十枚）

上三味，以水六升，煮取三升，温分三服。亦补脾气。

邹鉴：见桂林古本《伤寒杂病论·辨妇人各病脉证并治》。原文为：“妇人脏燥，悲伤欲哭，数欠伸，象如神灵所作者，甘草小麦大枣汤主之。”“小麦（一斤）”原文为“小麦一升”，“大枣（十枚）”原文为“大枣十二枚（劈）”。“温分三服”原文为“去滓，分温三服”。“亦补脾气”原文无。

妇人吐涎沫，医反下之，心下即痞，当先治其吐涎沫，小青龙汤主之。涎沫止，乃治痞，泻心汤主之。

小青龙汤方（见痰饮中）

泻心汤方（见惊悸中）

邹鉴：见桂林古本《伤寒杂病论·辨妇人各病脉证并治》。“小青龙汤主之。涎沫止，乃治痞，泻心汤主之”原文为“后治其痞，治吐宜桔梗甘草茯苓泽泻汤；治痞宜泻心汤”。

桔梗甘草茯苓泽泻汤方

桔梗三两　甘草二两　茯苓三两　泽泻二两

右四味，以水五升，煮取三升，去滓，温服一升，日三服。

泻心汤方

大黄二两　黄连一两

右二味，以麻沸汤二升，渍之，须臾绞去滓，分温再服。

妇人之病，因虚、积冷、结气，为诸经水断绝，至有历年，血寒积结胞门，寒伤经络。凝坚在上，呕吐涎唾，久成肺痈，形体损分；在中盘结，绕脐寒疝，或两胁疼痛，与脏相连；或结热中，痛在关元。脉数无疮，肌若鱼鳞，时着男子，非止女身。在下未多，经候不匀。冷阴掣痛，少腹恶寒，或引腰脊，下根气街，气冲急痛，膝胫疼烦，奄忽眩冒，状如厥癫，或有忧惨，悲伤多嗔，此皆带下，非有鬼神，久则羸瘦，脉虚多寒。

三十六病，千变万端；审脉阴阳，虚实紧弦；行其针药，治危得安。其虽同病，脉各异源。子当辨记，勿谓不然。

邹鉴：见桂林古本《伤寒杂病论·辨妇人各病脉证并治》。原文为：“妇人之病，因虚积冷结，为诸经水断绝，血结胞门。或绕脐疼痛，状如寒疝；或痛在关元，肌若鱼鳞；或阴中掣痛，少腹恶寒；或引腰脊，或下气街；此皆带下。万病一言，察其寒、热、虚、实、紧、弦，行其针药，各探其源，子当辨记，勿谓不然。”

问曰：妇人年五十所，病下利，数十日不止，暮即发热，少腹里急，腹满，手掌烦热，唇口干燥，何也？师曰：此病属带下，何以故？曾经半产，瘀血在少腹不去。何以知之？其证唇口干燥，故知之。当以温经汤主之。

温经汤方

吴茱萸（三两）　当归　川芎　芍药（各二两）　人参　桂枝　阿胶　牡丹（去心）　生姜　甘草（各二两）　半夏（半斤）　麦门冬（一升，去心）

上十二味，以水一斗，煮取三升，分温三服。亦主妇人少腹寒，久不受胎，兼取崩中去血，或月水来过多，及至期不来。

邹鉴：见桂林古本《伤寒杂病论·辨妇人各病脉证并治》。“病下利，数十日不止”原文为“病下血数十日不止”。“何以故”原文为“何以知之”。“何以知之？其证唇口干燥，故知之。当以温经汤主之”原文为“故唇口干燥也，温经汤主之”。

温经汤方

吴茱萸三两　当归二两　川芎二两　芍药二两　人参二两　桂枝二两　阿胶二两　牡丹皮二两　甘草二两　生姜二两

右十味，以水一斗，煮取三升，去滓，日三服，每服一升，温饮之。

带下，经水不利，少腹满痛，经一月再见者，土瓜根散主之。

土瓜根散方（阴㿗肿亦主之）

土瓜根　芍药　桂枝　䗪虫（各三分）

上四味，杵为散，酒服方寸匕，日三服。

邹鉴：见桂林古本《伤寒杂病论·辨妇人各病脉证并治》。原文为：“经水不利，少腹满痛，或一月再经者，王瓜根散主之。阴肿者，亦主之。”

王瓜根散方

王瓜根三分　芍药三分　桂枝三分　䗪虫三枚

右四味，杵为散，酒服方寸匙，日三服。

寸口脉弦而大，弦则为减，大则为芤，减则为寒，芤则为虚，寒虚相搏，此名曰革，妇人则半产漏下，旋覆花汤主之。

旋覆花汤方

旋覆花（三两）　葱（十四茎）　新绛（少许）

上三味，以水三升，煮取一升，顿服之。

邹鉴：见桂林古本《伤寒杂病论·辨妇人各病脉证并治》。原文为：“妇人半产若漏下者，旋覆花汤主之；脉虚弱者，黄芪当归汤主之。”

旋覆花汤方与原文相同，其用法：“煮取一升，顿服之”原文为“煮取一升，去滓，顿服之”。

黄芪当归汤方

黄芪三两　当归半两

右二味，以水五升，煮取三升，去滓，温服一升，日三服。

妇人陷经，漏下，黑不解，胶姜汤主之。（臣亿等校诸本无胶姜汤方，想是前妊娠中胶艾汤）

邹鉴：见桂林古本《伤寒杂病论·辨妇人各病脉证并治》。“黑不解”

原文为“色黑如块者”。

妇人少腹满如敦状，小便微难而不渴，生后者，此为水与血并结在血室也，大黄甘遂汤主之。

大黄甘遂汤方

大黄（四两） 甘遂（二两） 阿胶（二两）

上三味，以水三升，煮取一升，顿服之，其血当下。

邹鉴：见桂林古本《伤寒杂病论·辨妇人各病脉证并治》。“生后者，此为水与血并结在血室也，大黄甘遂汤主之”原文为“或经后产后者，此为水与血俱结在血室也，大黄甘遂阿胶汤主之”。

大黄甘遂阿胶汤方

大黄四两 甘遂二两 阿胶二两

右三味，以水三升，煮二味，取一升，去滓，纳胶烊消，温顿服之。

妇人经水不利下，抵当汤主之。（亦治男子膀胱满急，有瘀血者）

抵当汤方

水蛭（三十个，熬） 虻虫（三十个，熬，去翅足） 桃仁（二十个，去皮尖） 大黄（三两，酒浸）

上四味，为末，以水五升，煮取三升，去滓，温服一升。

邹鉴：见桂林古本《伤寒杂病论·辨妇人各病脉证并治》。原文为：“妇人时腹痛，经水时行时止，止而复行者，抵当汤主之。”

抵当汤方

水蛭三十个（熬） 虻虫三十个（去翅足） 桃仁三十个 大黄三两

右四味，以水五升，煮取三升，去滓，温服一升，不下更服。

妇人经水闭不利，脏坚癖不止，中有干血，下白物，矾石丸主之。

矾石丸方

矾石（三分，烧） 杏仁（一分）

上二味，末之，炼蜜和丸，枣核大，内脏中，剧者再内之。

邹鉴：见桂林古本《伤寒杂病论·辨妇人各病脉证并治》。原文为：“妇人经水闭，脏坚癖，下白物不止，此中有干血也，矾石丸主之。”“炼蜜和丸”原文为“炼蜜为丸”。“内”原文为“汭”。

妇人六十二种风，及腹中血气刺痛，红蓝花酒主之。

红蓝花酒方（疑非仲景方）

红蓝花（一两）

上一味，以酒一大升，煎减半，顿服一半，未止再取。

邹鉴：见桂林古本《伤寒杂病论·辨妇人各病脉证并治》。原文为："妇人六十二种风证，腹中气血如刺痛者，红蓝花酒主之。"

"以酒一大升，煎减半，顿服一半，未止再取"原文为"以酒一斗，煎减半，去滓，分温再服"。

妇人腹中诸疾痛，当归芍药散主之。

当归芍药散方（见前妊娠中）

妇人腹中痛，小建中汤主之。

小建中汤（见前虚劳中）

邹鉴：见桂林古本《伤寒杂病论·辨妇人各病脉证并治》。原文为："妇人腹中诸病痛者，当归芍药散主之；小建中汤亦主之；当归芍药散见前"

小建中汤方

桂枝三两　芍药六两　甘草三两（炙）　生姜三两（切）　大枣十二枚（劈）　饴糖一升

右六味，以水七升，煮取三升，去滓，纳胶饴，更上微火消解，温服一升，日三服。

问曰：妇人病，饮食如故，烦热不得卧而反倚息者，何也？师曰：此名转胞，不得溺也，以胞系了戾，故致此病。但利小便则愈，宜肾气丸主之。

肾气丸方

干地黄（八两）　薯蓣（四两）　山茱萸（四两）　泽泻（三两）　茯苓（三两）　牡丹皮（三两）　桂枝　附子（炮，各一两）

上八味，末之，炼蜜和丸梧子大，酒下十五丸，加至二十五丸，日再服。

邹鉴：见桂林古本《伤寒杂病论·辨妇人各病脉证并治》。"宜肾气丸主之”原文为“肾气丸主之”。“干地黄八两”原文为“地黄八两”。“桂枝附子（炮，一两）”原文为“桂枝一两　附子一枚（炮）”。

“炼蜜和丸梧子大，酒下十五丸，加至二十五丸，日再服”原文为“炼蜜和丸，梧桐子大，温酒下十五丸，日再服，不知渐增，至二十五丸”。

蛇床子散方　温阴中坐药。

蛇床子仁

上一味，末之，以白粉少许，和令相得，如枣大，绵裹内之，自然温。

邹鉴：见桂林古本《伤寒杂病论·辨妇人各病脉证并治》。原文为：“妇人阴寒，蛇床子散主之。”

蛇床子散方

蛇床子一两

右一味，末之，以白粉少许，和合相得，如枣大，棉裹纳阴中，自温。

少阴脉滑而数者，阴中即生疮，阴中蚀疮烂者，狼牙汤洗之。

狼牙汤方

狼牙（三两）

上一味，以水四升，煮取半升，以绵缠箸如茧，浸汤沥阴中，日四遍。

邹鉴：见桂林古本《伤寒杂病论·辨妇人各病脉证并治》。“阴中即生疮，阴中蚀疮烂者，狼牙汤洗之”原文为“阴中疮也，蚀烂者，狼牙汤主之”。

“以绵缠箸如茧，浸汤沥阴中，日四遍”原文为“去滓，以绵缠箸如茧大，浸汤沥阴中，洗之，日四遍”。

胃气下泄，阴吹而正喧，此谷气之实也，膏发煎导之。

膏发煎方（见黄疸中）

邹鉴：见桂林古本《伤寒杂病论·辨妇人各病脉证并治》。原文为：“胃气下泄，阴吹而喧，如失气者，此谷道实也，猪膏发煎主之。”

猪膏发煎方

猪膏半斤　乱发三枚（如鸡子大）

右二味，和膏煎之，发消药成，分再服。

小儿疳虫蚀齿方（疑非仲景方）

雄黄　葶苈

上二味，末之，取腊月猪脂，以槐枝绵裹头四五枚，点药烙之。

邹鉴：桂林古本《伤寒杂病论》原文无。

杂疗方第二十三

论一首　证一条　方二十二首

退五藏虚热，四时加减柴胡饮子方

冬三月加：柴胡八分　白术八分　大腹槟榔四枚，并皮、子用　陈皮五分　生姜五分　桔梗七分

春三月加：枳实，减白术，共六味

夏三月加：生姜三分　枳实五分　甘草三分，共八味

秋三月加：陈皮三分，共六味

上各㕮咀，分为三贴，一贴以水三升，煮取二升，分温三服。如人行四五里，进一服。如四体壅，添甘草少许，每贴分作三小贴，每小贴以水一升，煮取七合，温服。再合滓为一服，重煮，都成四服。（疑非仲景方）

长服诃梨勒丸方（疑非仲景方）

诃梨勒（煨）　陈皮　厚朴（各三两）

上三味，末之，炼蜜丸如梧子大，酒饮服二十丸，加至三十丸。

三物备急丸方（见《千金方》，司空裴秀为散用。亦可先和成汁，乃倾口中，令从齿间得入，至良验）

大黄（一两）　干姜（一两）　巴豆（一两，去皮、心，熬，外研如脂）

上药各须精新，先捣大黄、干姜为末，研巴豆内中，合治一千杵，用为散，蜜和丸亦佳，密器中贮之，莫令歇。主心腹诸卒暴百病，若中恶客忤，心腹胀满，卒痛如锥刺，气急口噤，停尸卒死者，以暖水若酒，服大豆许三四丸，或不下，捧头起，灌令下咽，须臾当差。如未差，更与三丸，当腹中鸣，即吐下，便差。若口噤，亦须折齿灌之。

治伤寒，令愈不复，紫石寒食散方。（见《千金翼》）

紫石英　白石英　赤石脂　钟乳（碓炼）　栝蒌根　防风　桔梗　文蛤　鬼臼（各十分）　太一余粮（十分，烧）　干姜　附子（炮，去皮）　桂枝（去皮，各四分）

上十三味，杵为散，酒服方寸匕。

救卒死方

薤捣汁，灌鼻中。

又方

雄鸡冠割取血，管吹内鼻中。

猪脂如鸡子大，苦酒一升，煮沸，灌喉中。

鸡肝及血涂面上，以灰围四旁，立起。

大豆二七粒，以鸡子白并酒和，尽以吞之。

救卒死而壮热者方

矾石半斤，以水一斗半，煮消，以渍脚，令没踝。

救卒死而目闭者方

骑牛临面，捣薤汁灌耳中，吹皂荚末鼻中，立效。

救卒死而张口反折者方

灸手足两爪后十四壮了，饮以五毒诸膏散。（有巴豆者）

救卒死而四肢不收失便者方

马屎一升，水三斗，煮取二斗以洗之。又取牛洞稀粪也。一升，温酒灌口中，灸心下一寸、脐上三寸、脐下四寸，各一百壮，差。

救小儿卒死而吐利不知是何病方

狗屎一丸，绞取汁以灌之。无湿者，水煮干者，取汁。

治尸蹷方

尸蹷，脉动而无气，气闭不通，故静而死也，治方。（脉证见上卷）

菖蒲屑，内鼻两孔中吹之。令人以桂屑着舌下。

又方

鬄取左角发方寸，烧末，酒和，灌令入喉，立起。

救卒死、客忤死，还魂汤主之方

（《千金》云：主卒忤鬼击飞尸，诸奄忽气绝无复觉，或已无脉，口噤拗不开，去齿下汤。汤下口不下者，分病人发左右，捉擒肩引之。药下，复增取一升，须臾立苏。）

麻黄（三两，去节，一方四两） 杏仁（去皮尖，七十个） 甘草（一两，炙）（《千金》用桂心二两）

上三味，以水八升，煮取三升，去滓，分令咽之，通治诸感忤。

又方

韭根（一把） 乌梅（二七个） 吴茱萸（半升，炒）

上三味，以水一斗，煮之。以病人栉内中，三沸，栉浮者生，沉者死。煮取三升，去滓分饮之。

救自缢死方

救自缢死，旦至暮，虽已冷，必可治；暮至旦，小难也。恐此当言阴气盛故也。然夏时夜短于昼，又热，犹应可治。又云：心下若微温者，一日以上，犹可治之方。

徐徐抱解，不得截绳，上下安被卧之。一人以脚踏其两肩，手少挽其发，常弦弦勿纵之。一人以手按据胸上，数动之。一人摩捋臂胫，屈伸之。若已僵，但渐渐强屈之，并按其腹。如此一炊顷，气从口出，呼吸眼开而犹引按莫置，亦勿苦劳之。须臾，可少桂汤及粥清含与之，令濡喉，渐渐能咽，乃稍止。若向令两人以管吹其两耳罙好。此法最善，无不活者。

疗中暍方

凡中暍死，不可使得冷，得冷便死，疗之方。

屈草带，绕暍人脐，使三两人溺其中，令温。亦可用热泥和屈草，亦可扣瓦碗底按及车缸以着暍人，取令溺，须得流去。此谓道路穷卒无汤，当令溺其中，欲使多人溺，取令温。若有汤便可与之，不可泥及车缸，恐此物冷。暍既在夏月，得热泥土、暖车缸，亦可用也。

救溺死方

取灶中灰两石余以埋人，从头至足，水出七孔，即活。

上疗自缢、溺、暍之法，并出自张仲景为之。其意殊绝，殆非常情所及，本草所能关，实救人之大术矣。伤寒家数有暍病，非此遇热之暍。（见《外台》《肘后》目）

治马坠及一切筋骨损方（见《肘后方》）

大黄（一两，切，浸，汤成下） 绯帛（如手大，烧灰） 乱发（如鸡子大，烧灰用） 久用炊单布（一尺，烧灰） 败蒲（一握三寸） 桃仁（四十九个，去皮，尖，熬） 甘草（如中指节，炙，剉）

上七味，以童子小便量多少，煎成汤，内酒一大盏，次下大黄，去滓，分温三服。先剉败蒲席半领，煎汤浴，衣被盖覆，斯须通利数行，痛楚立差。利及浴水赤，勿怪，即瘀血也。

禽兽鱼虫禁忌并治第二十四

论辨二首　合九十法　方二十一首

凡饮食滋味，以养于生，食之有妨，反能为害。自非服药炼液，焉能不饮食乎。切见时人，不闲调摄，疾疢竞起；若不因食而生，苟全其生，须知切忌者矣。所食之味，有与病相宜，有与身为害，若得宜则益体，害则成疾，以此致危，例皆难疗。凡煮药饮汁以解毒者，虽云救急，不可热饮，诸毒病得热更甚，宜冷饮之。

肝病禁辛，心病禁咸，脾病禁酸，肺病禁苦，肾病禁甘。春不食肝，夏不食心，秋不食肺，冬不食肾，四季不食脾。辨曰：春不食肝者，为肝气王，脾气败，若食肝，则又补肝，脾气败尤甚，不可救。又肝王之时，不可以死气入肝，恐伤魂也。若非王时，即虚，以肝补之佳。余脏准此。

凡肝脏自不可轻啖，自死者弥甚。

凡心皆为神识所舍，勿食之，使人来生复其报对矣。

凡肉及肝，落地不着尘土者，不可食之。

猪肉落水浮者，不可食。

诸肉及鱼，若狗不食，鸟不啄者，不可食。
诸肉不干，火灸不动，见水自动者，不可食之。
肉中有如米点者，不可食之。
六畜肉，热血不断者，不可食之。
父母及身本命肉，食之令人神魂不安。
食肥肉及热羹，不得饮冷水。
诸五脏及鱼，投地尘土不污者，不可食之。
秽饭馁肉臭鱼，食之皆伤人。
自死肉，口闭者，不可食之。
六畜自死，皆疫死，则有毒，不可食之。
兽自死，北首及伏地者，食之杀人。
食生肉，饱饮乳，变成白虫。（一作血蛊）
疫死牛肉，食之令病洞下，亦致坚积，宜利药下之。
脯藏米瓮中，有毒，及经夏食之，发肾病。

治自死六畜肉中毒方

黄柏屑，捣服方寸匕。

治食郁肉漏脯中毒方（郁肉，密器盖之隔宿者是也。漏脯，茅屋漏下沾着者是也）

烧犬屎，酒服方寸匕，每服人乳汁亦良。
饮生韭汁三升，亦得。

治黍米中藏干脯食之中毒方

大豆浓煮汁，饮数升即解。亦治诸肉漏脯等毒。

治食生肉中毒方

掘地深三尺，取其下土三升，以水五升，煮数沸，澄清汁，饮一升，即愈。

治六畜鸟兽肝中毒方

水浸豆豉，绞取汁，服数升愈。

马脚无夜眼者，不可食之。
食酸马肉，不饮酒，则杀人。
马肉不可热食，伤人心。
马鞍下肉，食之杀人。
白马黑头者，不可食之。
白马青蹄者，不可食之。
马肉㹠肉共食，饱醉卧，大忌。
驴马肉合猪肉食之，成霍乱。
马肝及毛，不可妄食，中毒害人。

治马肝毒中人未死方

雄鼠屎二七粒，末之，水和服，日再服。（屎尖者是。）
又方
人垢，取方寸匕，服之佳。

治食马肉中毒欲死方

香豉（二两） 杏仁（三两）
上二味，蒸一食顷，熟，杵之服，日再服。
又方
煮芦根汁，饮之良。
疫死牛，或目赤，或黄，食之大忌。
牛肉共猪肉食之，必作寸白虫。
青牛肠，不可合犬肉食之。
牛肺，从三月至五月，其中有虫如马尾，割去勿食，食则损人。
牛羊猪肉，皆不得以楮木桑木蒸炙。食之，令人腹内生虫。
啖蛇牛肉杀人，何以知之？啖蛇者，毛发向后顺者，是也。

治啖蛇牛肉食之欲死方

饮人乳汁一升，立愈。
又方
以泔洗头，饮一升，愈。
牛肚细切，以水一斗，煮取一升，暖饮之，大汗出者愈。

治食牛肉中毒方

甘草煮汁饮之，即解。

羊肉，其有宿热者，不可食之。

羊肉不可共生鱼、酪食之，害人。

羊蹄甲中有珠子白者，名羊悬筋，食之令人癫。

白羊黑头，食其脑，作肠痈。

羊肝共生椒食之，破人五脏。

猪肉共羊肝和食之，令人心闷。

猪肉以生胡荽同食，烂人脐。

猪脂不可合梅子食之。

猪肉和葵食之，少气。

鹿肉不可和蒲白作羹，食之发恶疮。

麋脂及梅李子，若妊娠食之，令子青盲，男子伤精。

獐肉不可合虾及生菜、梅李果食之，皆病人。

痼疾人，不可食熊肉，令终身不愈。

白犬自死，不出舌者，食之害人。

食狗鼠余，令人发瘘疮。

治食犬肉不消成病方

治食犬肉不消，心下坚或腹胀，口干大渴，心急发热，妄语如狂，或洞下方。

杏仁一升，合皮，熟，研用

以沸汤三升和，取汁分三服，利下肉片，大验。

妇人妊娠，不可食兔肉、山羊肉及鳖、鸡、鸭，令子无声音。

兔肉不可合白鸡肉食之，令人面发黄。

兔肉着干姜食之，成霍乱。

凡鸟自死，口不闭，翅不合者，不可食之。

诸禽肉，肝青者，食之杀人。

鸡有六翮四距者，不可食之。

乌鸡白首者，不可食之。

鸡不可共葫蒜食之，滞气。（一云鸡子）

山鸡不可合鸟兽肉食之。
雉肉久食之，令人瘦。
鸭卵不可合鳖肉食之。
妇人妊娠食雀肉，令子淫乱无耻。
雀肉不可合李子食之。
燕肉勿食，入水为蛟龙所啖。

治食鸟兽中箭肉毒方 鸟兽有中毒箭死者，其肉有毒，解之方

大豆煮汁及蓝汁，服之，解。
鱼头正白如连珠，至脊上，食之杀人。
鱼头中无鳃者，不可食之，杀人。
鱼无肠胆者，不可食之，三年阴不起，女子绝生。
鱼头似有角者，不可食之。
鱼目合者，不可食之。
六甲日，勿食鳞甲之物。
鱼不可合鸡肉食之。
鱼不得和鸬鹚肉食之。
鲤鱼鲊不可合小豆藿食之，其子不可合猪肝食之，害人。
鲤鱼不可合犬肉食之。
鲫鱼不可合猴雉肉食之。一云：不可合猪肝食。
鳀鱼合鹿肉生食，令人筋甲缩。
青鱼鲊不可合生葫荽及生葵，并麦中食之。
鳅、鳝不可合白犬血食之。
龟肉不可合酒、果子食之。
鳖目凹陷者，及厌下有王字形者，不可食之。其肉不得合鸡鸭子食之。
龟鳖肉不可合苋菜食之。
虾无须及腹下通黑，煮之反白者，不可食之。
食脍，饮乳酪，令人腹中生虫，为瘕。

治食鲙不化成癥病方 鲙食之，在心胸间不化，吐复不出，速下除之，久成癥病，治之方。

橘皮（一两） 大黄（二两） 朴硝（二两）

上三味，以水一大升，煮至小升，顿服即消。

食鲙多不消结为癥病治之方

马鞭草

上一味，捣汁饮之。或以姜叶汁，饮之一升，亦消。又可服吐药吐之。

食鱼后中毒面肿烦乱治之方

橘皮

浓煎汁，服之即解。

食鯸鮧鱼中毒方

芦根

煮汁，服之即解。

蟹目相向，足斑赤者，不可食之。

食蟹中毒治之方

紫苏

煮汁，饮之三升。紫苏子捣汁饮之，亦良。

又方

冬瓜汁，饮二升。食冬瓜亦可。

凡蟹未遇霜，多毒。其熟者，乃可食之。

蜘蛛落食中，有毒，勿食之。

凡蜂蝇虫蚁等，多集食上，食之致瘘。

果实菜谷禁忌并治第二十五

果子生食，生疮。

果子落地经宿，虫蚁食之者，人大忌食之。

生米停留多日，有损外，食之伤人。

桃子多食，令人热，仍不得入水浴，令人病淋沥寒热病。

杏酪不熟，伤人。

梅多食，坏人齿。

李不可多食，令人胪胀。

林檎不可多食，令人百脉弱。

橘柚多食，令人口爽，不知五味。

梨不可多食，令人寒中，金疮产妇，亦不宜食。

樱桃、杏多食，伤筋骨。

安石榴不可多食，损人肺。

胡桃不可多食，令人动痰饮。

生枣多食，令人热渴气胀。寒热羸瘦者，弥不可食，伤人。

食诸果中毒治之方

猪骨烧过

上一味，末之，水服方寸匕。亦治马肝，漏脯等毒。

木耳赤色及仰生者，勿食。

菌仰卷及赤色者不可食。

食诸菌中毒闷乱欲死治之方

人粪汁，饮一升。土浆，饮一二升。大豆浓煮汁，饮之；服诸吐利药，并解。

食枫柱菌而哭不止，治之以前方。

误食野芋，烦毒欲死，治之以前方。（其野芋根，山东人名魁芋。人种芋，三年不收，亦成野芋，并杀人。）

蜀椒闭口者，有毒。误食之，戟人咽喉，气病欲绝，或吐下白沫，身体痹冷，急治之方。

肉桂煎汁饮之，多饮冷水一二升，或食蒜，或饮地浆。或浓煮豉汁饮之，并解。

正月勿食生葱，令人面生游风。

二月勿食蓼，伤人肾。

三月勿食小蒜，伤人志性。

四月、八月勿食胡荽，伤人神。

五月勿食韭，令人乏气力。

五月五日勿食一切生菜，发百病。

六月、七月勿食茱萸，伤神气。

八月、九月勿食姜，伤人神。

十月勿食椒，损人心，伤心脉。

十一月、十二月勿食薤，令人多涕唾。

四季勿食生葵，令人饮食不化，发百病。非但食中，药中皆不可用，深宜慎之。

时病差未健，食生菜，手足必肿。

夜食生菜，不利人。

十月勿食被霜生菜，令人面无光，目涩，心痛，腰疼，或发心疟。疟发时，手足十指爪皆青，困委。

葱、韭初生芽者，食之伤人心气。

饮白酒，食生韭，令人病增。

生葱不可共蜜食之，杀人。独颗蒜弥忌。

枣合生葱食之，令人病。

生葱和雄鸡、雉、白犬肉食之，令人七窍经年流血。

食糖、蜜后四日内，食生葱、韭，令人心痛。

夜食诸姜、蒜、葱等，伤人心。

芜菁根多食，令人气胀。

薤不可共牛肉作羹食之，成瘕病。韭亦然。

莼多食，动痔疾。

野苣不可同蜜食之，作内痔。

白苣不可共酪同食，作䘌虫。

黄瓜食之，发热病。

葵心不可食，伤人，叶尤冷，黄背赤茎者，勿食之。

胡荽久食之，令人多忘。

病人不可食胡荽及黄花菜。

芋不可多食，动病。

妊妇食姜，令子余指。

蓼多食，发心痛。

蓼和生鱼食之，令人夺气，阴核疼痛。

芥菜不可共兔肉食之，成恶邪病。

小蒜多食，伤人心力。

食躁式躁方

豉　浓煮汁饮之。

误食钩吻杀人解之方　钩吻与芹菜相似，误食之，杀人，解之方。（《肘后》云，与茱萸、食芹相似）

荠苨八两

上一味，水六升，煮取二升，分温二服。（钩吻生地傍无它草，其茎有毛，以此别之）

治误食水莨菪中毒方　菜中有水莨菪，叶圆而光，有毒。误食之，令人狂乱，状如中风，或吐血，治之方。

甘草　煮汁，服之即解。

治食芹菜中龙精毒方　春秋二时，龙带精入芹菜中，人偶食之为病，发时手青腹满，痛不可忍，名蛟龙病。治之方。

硬糖二三升

上一味，日两度服之，吐出如蜥蜴三五枚，差。

食苦瓠中毒治之方

黍穰煮汁，数服之解。

扁豆，寒热者不可食之。

久食小豆，令人枯燥。

食大豆屑，忌啖猪肉。

大麦久食，令人作疥。

白黍米不可同饴、蜜食，亦不可合葵食之。

荞麦面多食，令人发落。

盐多食，伤人肺。

食冷物，冰人齿。

食热物，勿饮冷水。

饮酒食生苍耳，令人心痛。

夏月大醉汗流，不得冷水洗着身，及使扇，即成病。

饮酒，大忌灸腹背，令人肠结。
醉后勿饱食，发寒热。
饮酒食猪肉，卧秫稻穰中，则发黄。
食饴，多饮酒，大忌。
凡水及酒，照见人影动者，不可饮之。
醋合酪食之，令人血瘕。
食白米粥，勿食生苍耳，成走疰。
食甜粥已，食盐即吐。
犀角筯搅饮食，沫出及浇地坟起者，食之杀人。

饮食中毒烦满治之方

苦参（三两） 苦酒（一升半）
上二味，煮三沸，三上三下，服之，吐食出，即差。或以水煮亦得。
又方
犀角汤亦佳。

贪食食多不消心腹坚满痛治之方

盐（一升） 水（三升）
上二味，煮令盐消，分三服，当吐出食，便差。
矾石，生入腹，破人心肝。亦禁水。
商陆，以水服，杀人。
葶苈子傅头疮，药成入脑，杀人。
水银入人耳及六畜等，皆死。以金银着耳边，水银则吐。
苦楝无子者杀人。
凡诸毒，多是假毒以投，不知时，宜煮甘草荠苨汁饮之，通除诸毒药。